Batch cooking

para flexivegetarianos

ANA MORENO

EDICIONES OBELISCO

Colección Salud y Vida natural
BATCH COOKING PARA FLEXIVEGETARIANOS
Ana Moreno

1.ª edición: octubre de 2019

Corrección: *Sara Moreno*
Maquetación: *Isabel Estrada*
Diseño de cubierta: *Enrique Iborra*
Fotografía cubierta: *Amapola Producciones*
Fotografías interior: *Shutterstock* y *Fotolia* (págs. 162 y 175)

Edita: Ediciones Obelisco, S. L.
Collita, 23-25. Pol. Ind. Molí de la Bastida
08191 Rubí - Barcelona - España
Tel. 93 309 85 25 - Fax 93 309 85 23
E-mail: info@edicionesobelisco.com

ISBN: 978-84-9111-503-8
Depósito Legal: B-19.394-2019

Impreso en Gráficas 94, Hermanos Molina, S. L.
Polígono Industrial Can Casablancas
c/ Garrotxa, nave 5 - 08192 Sant Quirze del Vallès (Barcelona)

Printed in Spain

Muchas gracias a mis clientes y alumnos por pedirme lo que necesitan. Gracias a vosotros existe este libro.

Muchas gracias a todo el equipo de Obelisco por volver a confiar en mí. En especial a Anna Mañas, Sara Moreno, Isabel Estrada y Enrique Iborra.

Muchas gracias a mi familia, amigos, novio y gatos. Vuestra compañía y soporte emocional me llena de alegría y energía para trabajar incansablemente.

A todos vosotros, muchísimas gracias.

Ana Moreno (Morenini)
Madrid, octubre de 2019

Necesitas saberlo

Lo que necesitas para que este libro te sirva

Si supieras la alegría que da llegar a casa, calentar una comida de restaurante, vegetariana o flexivegetariana, mientras te descalzas y cambias de ropa... para tenerla lista en sólo 10 minutos...

Después, solamente tienes que poner un par de botecitos en el friegaplatos y tienes todo el tiempo del mundo para descansar. Si supieras la alegría que da comer sano sin esfuerzo, comida que además está riquísima, y que te hace sentirte bien y mantenerte en tu peso...

Y así poder aprovechar todo el tiempo que te sobra y dedicar parte a alguna actividad complementaria para tu salud, como hacer algo de ejercicio, meditar, descansar y dormir todas las horas que necesitas... Si además supieras el ahorro en tiempo, energía, ingredientes y estrés que supone todo ello...

Si supieras todo lo anterior, no porque yo te lo cuente, sino porque tú lo vas a experimentar... en tan solo 24 horas a contar desde que tengas preparado tu primer batch cooking...

Si supieras, además, que preparar un batch cooking vegetariano o flexivegetariano para toda la semana te llevará como mucho 4 horas, incluyendo ahí el tiempo que dedicas a la planificación y limpieza...

¿Crees que te interesaría saber cómo hacerlo?

¿Y si supieras que todo esto lo puedes encontrar en este libro?

Parafraseando a Sergio Fernández, director del Instituto Pensamiento Positivo, *en la vida sólo hay excusas o resultados.*

Hay muchas personas que no cambian porque no quieren. Se ponen excusas a sí mismas una y otra vez, se autosabotean. Estas personas quizá no se quieran lo suficiente como para pagar el precio del cambio. O tal vez no hayan entendido con el corazón lo necesario y beneficioso de dicho cambio. Este libro no es para estas personas. ¿Quieres saber por qué no? Pues porque, parafraseando a los hermanos Heath en su libro *Cambia el chip: Cómo afrontar cambios que parecen imposibles, el conocimiento no cambia el comportamiento.*

Muchas personas, algo así como el 93 %, de los que compran un libro, acuden a un seminario, a una consulta o se apuntan a un curso, más tarde refieren que no les ha servido.

Sin embargo, alrededor del 7 % de las personas que leyeron el mismo libro, asistieron al mismo seminario o consulta y fueron alumnos del mismo curso, manifiestan de manera entusiasta haber experimentado cambios maravillosos gracias a dicha formación.

¿Cómo es posible?

Muy sencillo. El segundo grupo, el del 7 %, hizo algo que el primer grupo no hizo.

Poner el conocimiento en práctica.

¿Y cómo puso el conocimiento en práctica el grupo del 7 %?

Pues también muy sencillo de decir, aunque quizá no tanto de hacer: dejando atrás las excusas. Por eso, como dice Fernández, obtienen resultados, ya que en la vida sólo hay excusas o resultados.

Para obtener resultados
hay que dejar las excusas atrás
y poner el conocimiento en práctica.

Si tú perteneces al 7 %, este libro será de gran ayuda para ti. ¡Enhorabuena!

Y si no lo eres… Si no lo eres, date una oportunidad. Quizá este libro tampoco te sirva, o quizá sí. Voy a tratar de que entiendas con tu corazón lo necesario y beneficioso de incorporar la técnica del batch cooking en tu vida.

No temas, no será muy esclavizante. Como mucho, tendrás que hacer tu batch cooking 50 veces al año.

No es tanto, ¿verdad? Piensa que un año tiene 365 días, que a su vez están compuestos 24 horas, lo que hace un total de 8760 horas. Si preparar el batch cooking semanal, planificación y limpieza incluidas, sólo te ocupa un máximo de 4 horas a la semana y vas a tener que hacerlo como mucho 50 veces al año, esto constituye un conteo total de 200 horas al año invertidas en «batchcookinear».

Estas 200 horas son sólo un 2,2 % del total de las 8760 horas que componen un año entero de tu vida. ¿Estarías dispuesto a dedicar un 2,2 % de tu tiempo cada año para prepararte tu batch cooking?

A priori, no parece tanto tiempo. Pero aun así, quizá respondas que «depende». Depende de lo que ganes y, sobre todo, que lo que ganes sea importante para ti. Es decir, que la ganancia sea lo suficientemente grande como para que la inversión, aunque sea de sólo un 2,2 %, merezca la pena.

Urgente o importante

Si alguna vez has aprendido a clasificar las actividades que se realizan cada día en la categoría de importantes o urgentes, sabrás que las urgentes son aquellas actividades que nos suelen ocupar la mayor parte del tiempo, restándoselo a las importantes.

Son aquéllas a las que nos referimos cuando decimos que nos pasamos el día apagando fuegos. Son esas actividades que generan estrés y que agotan.

Algunas de ellas son urgentes e importantes a la vez, como atender a un familiar si se pone de repente enfermo o las cosas que hay que hacer con fechas límite, como realizar ciertos pagos o revisiones médicas, del coche, etc.

Debes realizar dichas tareas aunque no te venga bien, porque si lo dejas pasar, las consecuencias serán muy malas: la persona enferma empeorará, te multarán, tú salud quedará comprometida o te quedarás sin medio de transporte.

Actividades urgentes	Actividades urgentes e importantes
Ocupan la mayor parte del tiempo. Nos generan estrés. Nos agotan. Hacen que sintamos que pasamos el día apagando fuegos.	Además de ocuparnos casi todo el tiempo, generar estrés y agotamiento, y hacer que tengamos la sensación de estar todo el día apagando fuegos... son ineludibles, porque sus consecuencias serían nefastas.

Ejemplos de actividades urgentes e importantes	Consecuencias de no realizarlas
Atender a un familiar que de repente enferma.	La salud de la persona empeorará, y podrá tener consecuencias críticas o irreversibles (por ejemplo, un brazo roto que suelda mal).
Ir al ginecólogo a revisión.	Puede no detectarse algún problema mayor (por ejemplo, endometriosis, miomas, cáncer...).
Empastar una muela picada.	La picadura podría generar infección y ser necesario practicar una endodoncia a la muela.
Pagar el recibo del IBI de tu casa.	Recibirás una multa por no pagar en plazo.
Llevar el coche a la ITV.	La policía te puede multar, recibirás una multa cuando vayas a pasarla fuera de plazo y además es posible que el vehículo tenga algún problema que no conozcas y que pueda causar que se estropee o incluso un accidente.

Como ves, parece muy sencillo identificar las tareas urgentes e importantes que no nos queda más remedio que realizar en el día a día.

Comer es una actividad urgente. Si tenemos hambre, y esto ocurre cada día, tenemos que comer. Y si no lo hacemos durante varios días seguidos, las consecuencias para nuestra salud pueden ser muy graves.

Hacer el batch cooking no parece ser una actividad urgente. Normalmente, si una tarea no es urgente, tendemos a posponerla o a no darle tanta importancia. Y esto es un grave error.

¿Por qué? Por lo mismo que son importantes las actividades urgentes anteriores, por sus repercusiones a medio o largo plazo.

Nuestra actitud con respecto a las actividades importantes y no urgentes es muy peligrosa porque, al no ser urgentes, a menudo no somos capaces de reconocer su importancia.

Un elevado porcentaje de las personas no le dan a la comida la importancia que tiene en cuanto a nuestro nivel de salud y bienestar. Y asumen que la función de la comida es básicamente quitar el hambre.

Si tienes alguien que cocine en casa, ya sea un empleado doméstico, tu amorosa madre o abnegada pareja…, entonces tienes cubierta una de las necesidades más básicas para tu salud y bienestar, que es comer.

Pero si estas personas no cocinan de manera saludable, tener cubierta esta necesidad no significa que quede resuelta satisfactoriamente.

Por eso, para muchas personas, el hecho de llegar a casa cansadas de trabajar y «comerse cualquier cosa» no constituye un problema. Cuando menciono «comerse cualquier cosa» me refiero a una pizza congelada, huevos fritos o salchichas o croquetas congeladas con patatas también congeladas, o incluso un vaso de leche de vaca con galletas o con cereales, hechos de trigo refinado al que le añaden salvado y azúcar…

Lo que cenan las personas que no reconocen la cocina saludable como una actividad importante	
Pizza congelada	Leche de vaca con cereales de trigo refinado al que se le añade salvado y azúcar
Huevos fritos	Leche de vaca con galletas
Salchichas	Embutido
Croquetas congeladas	Queso
Patatas fritas congeladas	Hamburguesa de *Fast Food*

Si no se cocina de manera saludable o si nadie cocina, es fácil que acabes comiendo de forma poco sana. Y no sólo para las cenas, sino también durante todo el día. Si comes en la calle de manera recurrente, por ejemplo, de menú del día, has de saber que la calidad de la comida que puedes comer fuera de casa no es la misma que la que se come en casa. En los restaurantes, y especialmente en los que sirven menú del día o comida rápida, no encontrarás normalmente alimentos de la mejor categoría, porque necesitan ofrecer al cliente un precio bajo, ya que es un lugar al que acuden a comer con frecuencia y no puede costarles muy caro. No estoy hablando de que no encuentres alimentos integrales ni ecológicos, lo cual es verdad. De lo que estoy hablando en realidad es de que los aceites no serán de buena calidad, se reutilizarán, se emplearán muchos alimentos refinados, como sal refinada, o congelados, como el pan, las verduras, las patatas fritas...

Comer así de manera habitual va a causar varios problemas en tu salud.

El primero y más fácilmente detectable es el aumento de peso.

Las grasas son las responsables de aportar sabor a los platos. Así que es fácil que se abuse de fritos y salsas. Además, estas grasas pueden ser grasas saturadas o ácidos grasos trans, como los contenidos en el aceite vegetal hidrogenado con el que se preparan algunas salsas, los panes, las margarinas, la bollería, las galletas... que se convierten en colesterol cuando el cuerpo los metaboliza.

También los derivados de la leche, como el queso o la nata, tan habituales en la dieta, son responsables de la aparición de michelines.

Las grasas no son las únicas responsables del aumento de peso, también lo son el abuso de cereales refinados, como el omnipresente trigo, que se encuentra en las salsas, el pan, la bollería, las galletas y en un sinfín de alimentos. De hecho, ser celíaco y comer habitualmente fuera de casa es uno de los mayores retos que existen para una persona.

Menos fácil de detectar es la relación que tiene la alimentación con el bienestar, entendido como buen ánimo, energía y salud. Lo cierto es que esta relación sólo se observa cuando se vive, cuando se experimenta. El cuerpo humano es tan mágico que a poco que se le suministre un buen fuel, florece con su mejoría instantánea. Pero si siempre has comido de la manera estándar, como casi todo el mundo, no lo habrás podido comprobar.

En mi anterior libro, *Fin de semana depurativo para flexivegetarianos,*[1] publicado por esta misma editorial escasos meses antes que este que tienes en tus manos, explico cómo hacer una depuración de fin de semana similar a las que guío en mi hotel rural La Fuente del Gato, en Madrid, pero hecha por tu cuenta.

Uno de los motivos que me llevaron a escribirlo fue precisamente el cambio que la mayoría de mis clientes me han indicado que se han notado a sí mismos tras sólo 48 horas de depuración cuando han venido al hotel a participar en alguno de estos fines de semana. En el libro explico que, según la persona, les guío en una u otra depuración, más suave o más intensa.

Estos cambios ocurren en todas las personas, con independencia de que realicen depuraciones intensas o suaves. ¿Por qué? Porque, en general, los beneficios no dependen tanto de lo que se come cuando se come sano, sino de lo que no se come cuando se come insano.

Es decir, que eliminar los alimentos desnaturalizados de la dieta siempre es una buena opción. Por eso comer sano es tan interesante, porque cuando se come así no sólo se ofrece un buen fuel al organismo, sino que se limitan los alimentos que le causan mal. Y por ello el bienestar, inevitablemente, aumenta.

1. Moreno, A.: *Fin de semana depurativo para flaxivegetarianos.* Ediciones Obelisco, Barcelona, 2019.

Precisamente, no sólo generan problemas las grasas que producen colesterol, sino el consumo de grasas procedentes de los derivados lácteos y de los alimentos que contienen trigo refinado. Todos ellos son muy dañinos para la salud.

Más adelante mencionaremos de nuevo que la caseína y el gluten, dos moléculas proteicas que se encuentran respectivamente en los derivados lácteos y en el trigo, son responsables de muchas alergias.

En personas que presentan permeabilidad intestinal, los enterocitos o células epiteliales del intestino que tapizan nuestra mucosa intestinal, y que están encargadas, entre otras funciones, de la secreción de proteína en la luz intestinal, se separan.

Por estas separaciones, las moléculas caseína y gluten atraviesan las paredes intestinales y llegan a la sangre antes de haber sido digeridas. Esto causa alergias, inflamaciones, moqueos u otros síntomas que experimentamos tras ingerir alimentos que los contienen.

Lamentablemente, la permeabilidad intestinal es una enfermedad que cursa asintomática y que se produce por el abuso de alimentos dañinos como los fritos, el café, el alcohol..., así como por estrés y deficiencias nutricionales.

Se puede identificar a través de otros padecimientos, como intolerancias alimentarias, sensibilidades químicas, sobrecrecimiento bacteriano o SIBO, candidiasis intestinal, problemas de piel como eccema, urticaria, acné..., alergias estacionales y asma, síndrome de fatiga crónica...

¿Y todo esto por comer cada día fuera de casa, de menú del día, llegar a casa cansado y estresado y cenar «cualquier cosa» como pizza congelada, huevos fritos, salchichas o croquetas congeladas con patatas también congeladas... o un vaso de leche de vaca con galletas o cereales de trigo refinado al que le añaden salvado y azúcar, queso o embutido...?

Pues sí, exactamente.

Y me atrevo a afirmarlo porque la experiencia me lo ha mostrado.

Si habitualmente comes así, es cuestión de tiempo que te encuentres mal.

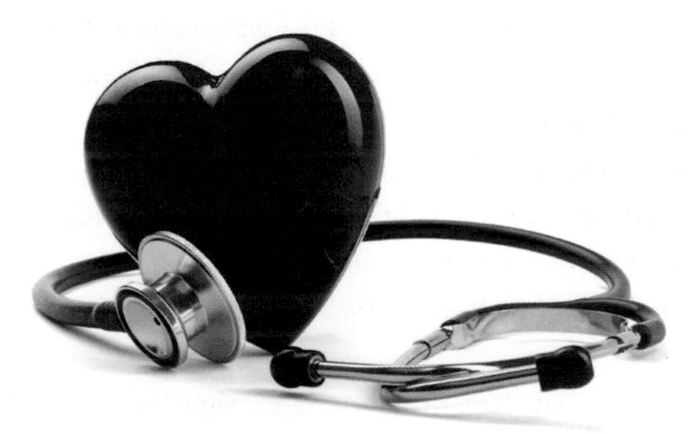

Tras lo que hemos comentado, parece que existe una relación clara entre alimentación inadecuada y malestar físico. Sin embargo, las personas que están habituadas a alimentarse así casi nunca lo notan. Cuando minimizan estos alimentos, notan el cambio a mejor, pero no aprecian malestar con sus hábitos habituales. Por eso es tan importante probar a alimentase de manera más natural.
Algunos objetores indicarán con razón, habida cuenta la evidencia, que muchas personas que cuidan su dieta enferman. Y que muchas otras que no lo hacen parecen tener una salud de hierro. Aunque existe una correlación indiscutible entre comer sano y encontrarse mejor, como la que existe entre dormir bien y sentirse descansado, la enfermedad es un misterio. No es objeto de este libro manifestar que la alimentación es la cura para la enfermedad. La salud se apoya en varios otros pilares, por ejemplo, el descanso o el ejercicio, así como los pensamientos y los sentimientos. Y además, hemos de tener presente que la salud parece estar también relacionada con la paz del alma en el cuerpo.
El objeto de este libro es correlacionar el bienestar diario, quizá uno de los pilares de la salud a medio plazo, con la alimentación saludable y ayudarte a encontrar la manera de incorporar un método para alimentarte sano y sabroso cada día con el menor esfuerzo y la mayor eficiencia.

Hazte estas preguntas

Hoy en día todo el mundo parece saber sobre nutrición y dietética, pero la verdad es que nadie tiene la suficiente seguridad en sí mismo como para diseñar su propia dieta.

¿Tú la tienes?

Imagínate a ti mismo delante de un cuaderno recién estrenado… o la terrible hoja en blanco a la que nos enfrentamos cuando decidimos escribir nuestra propia vida deseada… y pregúntate:

- ¿Tengo la seguridad de estar incluyendo en mi día a día los nutrientes que necesito?
- ¿Me preocupa saber si combino bien los alimentos?
- ¿Me cuesta normalmente hacer la digestión?
- ¿A menudo no sé cómo hacer para alimentarme de manera saludable, pero que a la vez lo que coma esté rico y, sobre todo, sin volverme loco?
- ¿Me gustaría comer saludable toda la semana, rico y equilibrado, a mi gusto, sin pasarme horas en la cocina?

Si has respondido que sí a las preguntas anteriores, sigue aquí, porque precisamente son los objetivos de esta obra:

Objetivos de esta obra

1. Dotarte de una estructura para que aprendas a diseñar tu propia dieta ideal semanal. Seguiremos las directrices del plato saludable según Harvard y las leyes de la trofología (simplificadas *by* Morenini) en cuanto a combinación de alimentos. Todo ello sin olvidarnos de obtener sabores equilibrados dentro de un plato vistoso y creativo. De este modo, vas a conseguir diseñar la dieta que te gusta y te conviene desde el punto de vista nutritivo, digestivo y del sabor.
2. Una vez diseñada tu dieta ideal semanal, vas a aprender a cocinar para toda la semana en sólo 3-4 horas como mucho, obteniendo platos variados, vistosos y equilibrados tanto desde el punto de vista nutricional, como digestivo y de sabor. Para ello necesitas una base teórica y una planificación estratégica. Sin olvidarnos de una parte visual donde aprender a manejarnos de forma práctica, con trucos e ideas muy sencillos y útiles para el día a día.

   Todo esto es lo que vamos a ver en estas páginas.

¿Qué es el batch cooking y qué tiene de bueno?

Ya lo hacían nuestras abuelas, nuestras madres y hasta nosotros lo hemos hecho sin saber que era batch cooking. Se trata de cocinar para comer más de una vez, así de simple. Seguro que has preparado alguna vez o has visto preparar, por ejemplo, una crema de verduras, un gazpacho o unas lentejas, que han servido para comer más de una vez. Es un modo eficiente de ahorrar tiempo y esfuerzos a la hora de preparar la comida y comerla. También lo hacemos sin querer si preparamos un hummus o una mayonesa, porque normalmente sobra. O incluso si horneamos pan o un bizcocho, no lo comeremos todo de una vez…, ¡en principio!

Algo tan sencillo como es cocinar para que sobre para otra vez es el inicio del batch cooking. Pero un batch cooking así puede tender al desorden y a la caducidad de lo cocinado. A veces, cocinamos de más porque no sabemos cocinar cantidades pequeñas. De hecho, en el máster presencial en Cocina Vegetariana que dirijo, hay tres ejercicios prácticos en los que los alumnos tienen que cocinar para una persona nada más. Es decir, una sola ración. Les resulta verdaderamente difícil hacerlo. De hecho, habitualmente como mínimo acaban saliendo raciones para al menos tres personas, no para una.

Es habitual ver restos en la nevera de comidas que no se han terminado de comer. Restos antiguos que están mal envasados, no se sabe de cuándo son porque no están etiquetados y de los que no se recuerda los ingredientes que contienen. Estos restos acaban siendo olvidados en la nevera, caducan y hay que tirarlos.

Esto no es batch cooking, sino desorganización y falta de conocimiento.

Hay otras personas más ordenadas, a menudo las madres o padres de familia a quienes la cocina se les da bien y que tienen muchos frentes abiertos, a quienes no les queda más remedio que organizarse. En este caso, sí recuerdan que hay gazpacho para comer pasado mañana, crema de verduras para la cena de hoy, lentejas para dentro de dos días, arroz cocido que sobró para acompañar algo… De este modo, como decía, ahorran tiempo y esfuerzos.

Sin embargo, se puede ir un paso más allá. No se trata de cocinar de más únicamente, sino de organizar menús equilibrados. Estos menús se preparan a partir de la mezcla de algunos platos cocinados con ingredientes de fondo de despensa, teniendo en cuenta las leyes de la combinación de alimentos, los propios gustos, el momento del día en que se va a comer tal o cual plato, etc. Requieren planificación. Pensar en qué nos gusta comer, qué ingredientes de la estación hay en el mercado, cómo los podemos cocinar, idear la manera de conservar los alimentos, el mejor modo de calentarlos, etc.

Todo esto es lo que vas a aprender en esta obra, pero sin complicaciones. Mi compromiso contigo es dotarte de un conocimiento de base pero profundo de la manera idónea para alimentarte. A partir de aquí, te dotaré de una estructura a través de mi herramienta «el planificador de batch cooking». Esta estructura es la llave de tu creatividad y la manera de evitar tener que acabar tirando comida.

Es decir, que *grosso modo,* el batch cooking –y no cualquier batch cooking, sino tal y como te lo planteo aquí– te ahorra tiempo, esfuerzo, dinero, estrés… a la vez que te ofrece la manera de comer una dieta equilibrada a través de platos creativos que estarán listos en muy poco tiempo. A cambio, te pide tu compromiso y planificación. En total te harán falta 4 horas semanales. ¿Es mucho?

¿Tengo tiempo?

Bajo el título *Batch cooking para flexivegetarianos* te ofrezco la promesa de un cambio en tu vida que te conduce a la excelencia… si lo sigues.

La idea es de Robin Sharma, el autor del *best seller El monje que vendió su Ferrari,* publicado por vez primera en 1987. Sharma es un prolífico autor y conferenciante internacional que ha revolucionado el mundo con sus ideas sobre autoliderazgo.

Entre las excusas y los resultados, nos encontramos con nuestras acciones, que nos alejan de las primeras y nos encaminan a los segundos. Y para que esto sea así, las acciones que emprendemos deben estar muy bien pensadas, ser consecuentes con nuestros propósitos y hemos de ejecutarlas de manera continuada, es decir, convertirlas en hábitos.

Pero las exigencias del día a día, los fuegos que hay que apagar, la confusión entre tareas urgentes e importantes, nos hacen caer en la trampa de las excusas sin retorno.

Tienes que conseguir fiarte de ti mismo. Y para ello necesitas una actitud de compromiso y un plan. Las personas de fiar se comprometen consigo mismas... a pesar de sí mismas. Conócete y supérate utilizando las herramientas de las que dispones.

Si escribo sobre batch cooking, lo hago porque conozco al ser humano. Sé que las personas que dedican tiempo y recursos a trabajar pueden sentir mucha hambre repentina y haberse olvidado de guardar energías suficientes para pensar en algo saludable para comer cada día. Por eso, te ofrezco un plan, dedicar una mañana o una tarde a «batchcookinear». Pero, como te digo, conozco bien a las personas trabajadoras, sociables y entusiastas, yo también soy una de ellas. Sé que la organización es clave y sé que lo que no está en tu agenda, no en la mental, en la física, sencillamente, no existe.

Si quieres saber cuáles son los verdaderos intereses de una persona, mira su agenda. Lo que no está ahí, no le interesa. Así que, ¿dónde vas a incluir tu batch cooking?

Ahora es cuando se agolpan las excusas en tu mente, cuando empezamos a ponernos serios. Pero no te preocupes, Sharma tiene la respuesta. Se trata del club de las 5 de la mañana. A este club de entrada libre pertenecemos aquellos que no negociamos el esfuerzo porque sabemos que somos valiosos y merecemos nuestro propio compromiso.

Sí, veo que ya estás adivinando a qué me refiero. En su obra *El club de las 5 de la mañana,* Robin Sharma nos revela un método para tener tiempo de pensar lo que queremos para nosotros, diseñar nuestro plan para conseguirlo y estructurar nuestra agenda para que tengan cabida en ella todas las acciones necesarias para llevarlo a término.

¿Y qué pasa si algún día no lo cumples? Absolutamente nada. Como indica el autor Jon Acuif en su libro *Termina,* el día más importante es el día después de haber incumplido tu plan. Ahí te encuentras contigo mismo a través del impulso de seguir la inercia de abandonar o decidir reiniciar tu compromiso contigo mismo. Como emprendedora, mi agenda varía según si organizo alguna actividad o no durante los fines de semana en mi hotel rural La Fuente del Gato. Aquí comparto contigo mi organización semanal. He españolizado el club de Robin Sharma y por ello mi jornada empieza a las 6 de la mañana. Empezar a las 5 de la mañana supone no tener amigos. Bueno, es broma, se pueden tener amigos, pero para levantarme a las 5 de la mañana tengo que acostarme a las 21:30 h, y dado que vivo en España, prefiero cambiar el horario y acostarme a las 22:30 h, que ya es bastante de bichos raros, para levantarme a las 6 de la mañana y no a las 5. Así puedo tener algún amigo.

Verás que de 6 a 7 de la mañana, me levanto, hago ejercicio, poco pero intenso, algo que me haga sudar y realizo mi aseo diario.

De 7 a 8, cuando estoy lista, repaso mis propósitos vitales, medito sobre ellos, me centro, pienso en mi plan, reviso mis metas.

De 8 a 9:30, respondo los *emails* pendientes, empezando por los comerciales y continuando por dar respuesta a mis colaboradores. Son los *mails* importantes. En esas horas, la mayoría de las personas se están levantando, están desayunando, van de camino al trabajo o comienzan a responder *emails*. Están realizando tareas urgentes. Hay que levantarse y es urgente, hay que desayunar, hay que desplazarse, hay que responder *emails*… Yo todo eso ya lo he hecho para cuando los demás empiezan su día. Con mi dirección vital bien presente, puedo dedicarme a las tareas verdaderamente importantes para mi trabajo, que son las que me darán resultados a largo plazo. Durante esas horas, sin distracciones, pienso cómo puedo mejorar la vida a mis clientes. Ésta es la clave para un buen trabajo.

Después, los lunes, tengo mi día más relajado. Me doy un paseo por un parque que hay junto a mi casa y me dirijo hacia una cafetería situada en el extremo más alejado del parque. Allí tomo un té verde mientras estudio inglés y compro *online* lo que necesito para la semana, como verduras ecológicas, por ejemplo.

Voy a yoga y al gimnasio, realizo mi única comida del día, trabajo algo más y reservo una hora y media antes de dormir para entrar en contacto con mis seres queridos, escuchar alguna charla TED, realizar tareas domésticas, leer o lo que me apetezca. Me voy a dormir a las 22:30 h, siempre cuidando de no mirar la pantalla del móvil al menos desde las 21 h.

Martes, miércoles y jueves voy a clases de inglés por la mañana. Me encanta, me ayuda a relacionarme con personas interesantes y, aunque no es una tarea urgente, es realmente importante para cualquier profesional que entienda el valor de enriquecerse y nutrirse de manera internacional.

Al salir de clase suelo tomar un té verde con mis compañeros. Siempre gente diferente a mí y a mis clientes y alumnos. El contrapunto perfecto.

Después voy al gimnasio y después muchas veces como fuera. Los miércoles, después del gimnasio, voy a comer con mis padres y, de vuelta a casa, recibo mi pedido de fruta y verdura orgánica. Así, el jueves por la tarde puedo dedicarme a preparar el batch cooking semanal.

Si ese fin de semana trabajo en La Fuente del Gato, me desplazo los viernes por la mañana desde Madrid capital, donde vivo, al pequeño pueblo de Olmeda de las Fuentes, situado a 50 km de mi casa, también dentro de la provincia de Madrid. Regreso el domingo a última hora de la mañana y dedico la tarde a descansar. A veces quedo con algún amigo, voy a nadar, practico la *nothing box* viendo una maratón de pelis en inglés… Si no trabajo en La Fuente del Gato, dedico los viernes y sábados a ver a mis seres queridos, voy al gimnasio y a yoga, participo en alguna actividad que me resulte interesante o asisto a un Day Town que organiza Vaughan, el emprendedor americano que consiguió, según su propósito, que servidora, como la gran mayoría de sus alumnos, se enamorara del inglés gracias a su singular metodología de enseñanza.

Y otras veces viajo y me salto casi toda la agenda. No voy a yoga, ni al gimnasio, no voy a inglés, no trabajo en La Fuente del Gato, no preparo el batch cooking…, aunque todos los días dedico un poco de tiempo para mí misma, tanto en la parte física como en la espiritual, y trabajo en mejorar las vidas de mis clientes, aunque esté de vacaciones. Estar centrada y comprometida con la vida que quiero llevar es la parte invisible que garantiza que, a mi vuelta, continúe con mi agenda. Nadie me obliga y no lo hago con verdadero esfuerzo, sino que me sale solo porque lo tengo interiorizado.

Horario diario	Lunes	Martes	Miércoles	Jueves	Viernes	Sábado	Domingo
6:00	5:00 Club a la española	5:00 Club a la española	5:00 Club a la española	5:00 Club a la española	5:00 Club a la española	5:00 Club a la española	5:00 Club a la española
6:00-7:00	Ejercicio y aseo	Ejercicio y aseo	Ejercicio y aseo	Ejercicio y aseo	Ejercicio y aseo	Ejercicio y aseo	Ejercicio y aseo
7:00-8:00	Tiempo para mí misma	Tiempo para mí misma	Tiempo para mí misma	Tiempo para mí misma	Tiempo para mí misma	Tiempo para mí misma	Tiempo para mí misma
8:00-9:30	*Emails* importantes	*Emails* importantes	*Emails* importantes	*Emails* importantes	*Emails* importantes	LFG	LFG
9:30-13:00	Compras *online* Estudiar inglés Tomar un té	Clase de ingles Tomar un té con compañeros	Clase de ingles Tomar un té con compañeros	Clase de ingles Tomar un té con compañeros	LFG	LFG	LFG
13:30-14:30	Yoga/gimnasio	Yoga/gimnasio	Yoga/gimnasio	Yoga/gimnasio	LFG	LFG	Seres queridos Tareas domésticas Leer
15:00	Comida	Comida	Comida con papá y mamá	Batch cooking/ comida	LFG	LFG	Seres queridos Tareas domésticas Leer
17:00-21:00	Trabajar	Estudiar ingles Trabajar	Estudiar ingles Trabajar Recibir pedido *online*	Batch cooking	LFG	LFG	Seres queridos Tareas domésticas Leer
21:00-22:30	Seres queridos Tareas domésticas Leer	Seres queridos Tareas domésticas Leer	Seres queridos Tareas domésticas Leer	Seres queridos Tareas domésticas Leer	LFG	LFG	Seres queridos Tareas domésticas Leer
22:30-6:00	Dormir	Dormir	Dormir	Dormir	Dormir	Dormir	Dormir

Te habrás dado cuenta de que sólo como una vez al día. No pretendo convencerte para que tú lo hagas. A mí me llegó de manera natural. A mis 45 años, no necesito comer más. Si crees que te puede interesar, te sugiero la lectura del libro *Un día, una comida,* del japonés Yoshinori Nagumo.

La organización es la clave. Como verás, me da tiempo de sobra a trabajar, a cuidarme, a estar con la gente a la que quiero, a tener la casa ordenada y a preparar mi batch cooking.

A continuación, te facilito la plantilla y te sugiero que diseñes tu propio horario semanal. Ya sabes, lo que no está en la agenda, aunque creas que sí, en realidad no cuenta. Por eso, antes de comenzar, debes comprometerte contigo mismo y encontrar el hueco en la agenda que vas a destinar para hacer tu pedido *online* o compras físicas para tu batch cooking, el momento de la semana en que lo recibirás, si has optado por comprar *online,* y el mágico día en que dedicarás 3 o 4 horas seguidas a prepararlo.

Horas	Lunes	Martes	Miércoles	Jueves	Viernes	Sábado	Domingo

Los peligros del batch cooking...

Creencias limitantes: ¿crees que la simplificación es aburrida?

Más adelante vas a aprender a preparar un sinfín de recetas a partir de recetas basadas en verduras. Aunque también utilizaremos uno de los siguientes ingredientes: semillas, frutos secos, cereales, legumbres, huevos, y lácteos y pescado opcionales, para cambiar los sabores, nos ayudaremos básicamente de hierbas, especias y aceites y grasas.

Con las hierbas, especias y aceites disponemos de ilimitados ayudantes para cambiar el sabor de las verduras de base que cocinemos. Imagina, por ejemplo, una ensalada con aguacate y boniato horneado, aliñados con comino, aceite de oliva y limón, o ese mismo boniato horneado y después mezclado con leche de coco y curry. La base del plato es el boniato, pero cambian las especias (comino o curry) y la parte grasa (aguacate y aceite de oliva o leche de coco).

En una primera aproximación, el uso de base de verduras y sólo uno de los alimentos que yo denomino reyes, a saber, semillas, frutos secos, cereales, legumbres, huevos, y lácteos y pescado opcionales, además de las especias, los condimentos y los aceites y grasas, se nos puede antojar un plato aburrido. Sin embargo, hemos de tener presente que…

La simplificación no es aburrida. Al revés.
Como me gusta decir, la sencillez es la mayor sofisticación.
¿Por qué? Porque diseñar platos sencillos, ricos y completos sólo se puede hacer si dispones de bastantes conocimientos y de una gran estructura mental.
Y el arte de cocinar de manera sencilla es, precisamente, el resultado de un gran dominio de dicha estructura y conocimientos.

No te dejes engañar por la idea de que la simplificación es aburrida y date una oportunidad siguiendo la estructura y recomendaciones de esta obra. Aunque estés habituado a comer platos con muchas mezclas, verás que con la estructura simplificada que te propongo, vas a disponer de herramientas para satisfacer el paladar más exigente, pero realizando sabias combinaciones que no alterarán tu digestión, te permitirán saciar el hambre a la vez que sientes ligereza y honrarán tus papilas gustativas.

No me puedo controlar: Satisfacción inmediata versus objetivos a medio plazo

Después de estar cocinando entre 3 y 4 horas, puedes sentir ansiedad por comértelo todo. De pronto, dispondrás de muchos platos distintos, sabrosos, sanos y calentitos. ¿Cómo resistirte a probarlo todo? Te puede ocurrir que comiences a probar aquí y allí y como estará todo muy rico, no puedas parar de comer. Aunque no tengas hambre. Y entonces, ¿hemos cocinado un batch cooking o hemos preparado comida de más para darnos un festín?

Esto es especialmente peligroso cuando se trata de batch cooking de dulces. Por ejemplo, un rico bizcocho recién horneado, que te empiezas a comer aún caliente… O unas trufas de chocolate de las que no te puedes separar hasta dar buena cuenta de ellas.

Ten presente que el objetivo del batch cooking es tener comida sana disponible para toda la semana, no cocinar un montón de cosas y comértelas en el momento. Se trata de un objetivo a medio plazo y no podemos dejarnos arrastrar por la satisfacción inmediata de vernos rodeados de comida exquisita y no poder parar de comerla.

Ser un experto en batch cooking implica autocontrol y autoadministración. La mejor forma para controlarse es conectarse con las sensaciones reales de hambre y saciedad. Si no eres capaz de identificarlas porque tu mente pide más y más comida, trata de entretenerte antes de seguir comiendo. Ve a preparar la ropa del día siguiente, friega los cacharros o acaricia a tu gato. Haz alguna actividad

que te mantenga ocupado y lejos de la comida durante unos 10 minutos. De este modo, la sensación de saciedad llegará al cerebro y podrás ponerle freno al comer de manera compulsiva y desordenada.

Cocino y no como

Aunque te parezca mentira, es un peligro muy habitual. A pesar de haber planificado el batch cooking y haberlo cocinado, llegas a casa y prefieres comer un poco de pan con aguacate, o cenas sólo un vaso de matcha *latte* o unas zanahorias con tahini. Y no es que esté mal. Lo que ocurre es que dejas que se echen a perder la crema de verduras, las verduras al horno, el hummus tan rico de brócoli…

¿Entonces? ¿Qué hacer? ¿Comerme las verduras al horno, cuando lo que me apetece es tan sólo una taza de *golden milk*? No. La solución no es forzarse a tomar lo que no apetece. La solución es planificar de manera correcta. Quizá antes de hacer tu primer batch cooking sea preciso llevar un registro de alimentación semanal. Para saber realmente qué es lo que te gusta y te apetece comer cada día, antes que diseñar un menú imposible para ti.

Otro peligro habitual es olvidarte de los compromisos sociales. Es habitual que surjan planes con los que no contábamos y a los que no nos podemos resistir. ¿Qué tal un café con esa amiga a la que hace tiempo que no ves? Quizá este café te deje con menos hambre y prefieras improvisar una comida a base de una sencilla ensalada para tener más hambre para la cena. O, ¿qué tal esa cena inesperada que surge, o ese día que decides visitar a tus padres para comer con ellos, o ese día que te pasaste con la merienda y ya no quieres cenar? En ese caso, tendrás tu esfuerzo y tu dinero en la nevera esperándote, pero no te apetecerá comerlos.

Dicen que la madurez nos proporciona sabiduría, y esto es, en realidad, el resultado del autoconocimiento. Antes de planificar tu batch cooking, obsérvate bien. Debes conocerte bien y averiguar qué es lo que te va a ti. Por mi experiencia en consulta, estoy habituada a tratar con personas que creen que hacen algunas cosas, cuando en realidad hacen otras. Recuerdo el ejemplo de un alumno diabético al que le encantaba el vino, y según él nunca lo tomaba para cuidar su salud. Tras un análisis con cierto nivel de detalle, vimos que tomaba más de 5 litros de vino a la semana, lo cual dista bastante de esa idea de no tomarlo nunca, que era la que él tenía de sí mismo.

Hay personas que piensan que siempre comen en casa pero no es así. Salen, quedan con otras personas, comen fuera. Y entonces ¿qué pasa con lo que hay en la nevera? Recuerda, batch cooking es planificación, organización y eficiencia. Sabiendo bien quién eres, sabrás lo que necesitas. No sobredimensiones tu batch cooking si no quieres tirar comida. En esta obra, te propongo preparar

un batch cooking semanal que en realidad proporcione comida para 4 días. Verás como de este modo, utilizando ingredientes de fondo de despensa que más adelante conocerás, optimizas recursos y nunca tiras comida.

21 Objetivos que todo buen batch cooking debería conseguir

1. Ahorro de tiempo al cocinar.
2. Ahorro de tiempo al limpiar.
3. Ahorro de tiempo al pensar qué comer.
4. Disminución del estrés.
5. Satisfacción de hambre urgente de manera saludable.
6. Ahorro de dinero en compras de alimentos.
7. Ahorro de energía al cocinar.
8. Consumo eficiente de alimentos.
9. Alimentación saludable todo el tiempo.
10. Alimentos mejor conservados.
11. Mejora del bienestar.
12. Más tiempo para uno mismo.
13. Consecución del peso de equilibrio.
14. Orden en la cocina.
15. Consumo de alimentos de temporada.
16. Menor cantidad de residuos.
17. Variedad de comidas.
18. Versatilidad para adaptarse a lo que apetece cada día.
19. Versatilidad para adaptarse a una agenda variable.
20. Comida diaria creativa como si fuera de restaurante.
21. Platos para comer en casa o para llevar al trabajo.

Teoría imprescindible para diseñar tu dieta ideal

La teoría mínima que debes conocer sobre nutrición

Hoy se habla de nutrición saludable en todas partes y todo el mundo tiene algo que opinar al respecto; pero la realidad es que pocas personas tendrían la seguridad necesaria como para diseñar un menú semanal equilibrado, económico y sencillo de preparar, y que a la vez no sea monótono ni soso, sino sabroso y variado.

¿Por qué sabiendo tanto sobre nutrición no sabemos diseñar una dieta equilibrada? Comer sano, rico, económico y sin necesidad de estar horas en la cocina parece una tarea de superhéroes.

Comencemos por aclarar algunos aspectos nutricionales confusos basados en conocimientos desfasados, poco científicos o en grandes mitos de la nutrición.

Cuando comemos de más, nuestro cuerpo almacena el exceso de nutrientes (energía) en forma de grasa. Dicho exceso de energía, por tanto, viene de una ingesta excesiva de cualquier nutriente. Por lo que procede no sólo de la ingesta de grasas, sino también de una ingesta elevada de hidratos de carbono.

Las proteínas y los hidratos de carbono proporcionan 4 kcal/g, mientras que las grasas nos proporcionan 9 kcal/g, por lo que son mucho más energéticas.

Un alimento no es más o menos saludable por su contenido en calorías, sino por los componentes que lo integran. Por ejemplo, piensa en 100 calorías de aguacate o 100 calorías de vino.

Una dieta baja en grasas es difícil de mantener porque las grasas aportan sensación de saciedad y sabor a los alimentos, amén de ser necesarias para el organismo.

Principalmente, constituyen nuestra reserva de energía. Además, las grasas aportan ácidos grasos esenciales que nos ayudan a mantener el buen estado de la piel y las mucosas. Son necesarias para la asimilación de las vitaminas A, D, E y K, que son solubles en grasa.

Disminuir la grasa en los alimentos *(light)* los desnaturaliza. Conviene siempre elegir grasas más saludables (aceite de oliva, aceite de coco, aguacate, frutos secos) antes que tomar alimentos *light* que contienen grasas poco saludables (grasas trans presentes en margarina, galletas, bollería); alimentos que además son ricos en azúcar (energía), pero pobres en nutrientes de interés fisiológico (contienen las llamadas calorías vacías). Aquí incluimos los lácteos descremados 0 %.

No es posible determinar con exactitud la cantidad de nutrientes y energía que contiene un alimento, pues no es lo mismo un aguacate de Canarias que uno de Costa Rica, por ejemplo, ya que influye su procedencia, cómo se ha cultivado (ecológico o con abonos químicos), el punto de maduración en que se encuentre cuando lo vayamos a comer y si lo consumimos crudo o cocinado.

Tampoco es posible determinar el grado de aprovechamiento que cada persona hace de un alimento. Es decir, que ingestión ≠ absorción. El que dicho ratio se acerque al 1:1 dependerá del estado de salud de la persona, de si sufre estrés, de si mastica más o menos veces, de la energía que requiera para sus actividades diarias...

Y, por si fuera poco, si cocinamos para toda la familia, ¿cómo puedo saber que mi ración contiene los mismos nutrientes que la tuya? Imagina que compartimos un plato de garbanzos con acelgas. Algunos se servirán más garbanzos, otros, más acelgas, otros añadirán aceite crudo, otros comerán con pan... ¿Cómo podemos determinar la ingesta real que hacemos?

Tampoco podemos calcular los requerimientos específicos de nutrientes que cada uno tiene, y que dependerán de su peso, estatura, composición corporal, edad, estilo de vida, consumo energético... ¿Gasto lo mismo en subir escaleras que otra persona? ¿Cómo puedo saberlo?

Por otro lado, vivimos en un ambiente obesogénico orientado hacia el consumo excesivo y no responsable. Los anuncios de televisión entran sin filtro y con repetición en nuestra casa, y nos sorprenden relajados y con la guardia baja.

Los alimentos están compuestos por macronutrientes y micronutrientes:

Macronutrientes	Micronutrientes
Hidratos de carbono Proteínas Grasas	Vitaminas Enzimas Minerales Oligoelementos

Nos han enseñado que una dieta equilibrada debe contener todos los nutrientes que necesitamos para que nuestro cuerpo funcione de manera óptima y no enferme.

Pero sólo se ha puesto el acento en la distribución porcentual de los 3 macronutrientes:

50 % de hidratos de carbono

20 % de proteínas y

30 % de grasas aproximadamente

Éste es un enfoque cuantitativo, pues se basa en la cantidad (porcentajes), pero no se hace hincapié en la calidad de su procedencia.

Veamos la siguiente comparativa entre estos dos menús. En ambos podemos encontrar proporciones similares de hidratos de carbono, proteínas y grasas:

Dos menús de proporciones similares de hidratos de carbono, proteínas y grasas	
Espagueti boloñesa Natillas	Paella vegetariana Yogur natural

¿Cuál de los dos se te antoja más saludable?

Cálculos complejos. A la hora de diseñar un menú de, pongamos, 2000 kcal, si el 50 % han de ser hidratos de carbono, ¿cómo calcular 1000 kcal de hidratos de carbono?

Como sabemos que 1 gramo de hidrato proporciona 4 kcal, 1000 kcal están contenidas en 250 gramos de hidratos.

Ahora tenemos que consultar las tablas de composición de los alimentos (que ya sabemos que no son exactas porque es algo imposible de determinar), ir seleccionando alimentos e ir sumando los gramos que cada uno contenga de hidratos de carbono hasta llegar a los 250 gramos que necesitaríamos para diseñar un menú de 2000 kcal.

Pero no debemos olvidarnos de que también hay que calcular los gramos de proteínas y de grasa de la dieta:

Para un 30 % de grasa en un menú de 2000 kcal, si 1 g de grasa son 9 kcal, necesitamos 66,66 g.

Para un 20 % de proteína en un menú de 2000 kcal, siendo 1 g de proteína 4 kcal, necesitamos 100 g.

Ahora, por tanto, hay que estudiar bien las tablas de composición de alimentos para conseguir llegar a 250 g de hidratos, a la vez que llegamos y sin pasarnos a 100 g de proteína y 66,66 g de grasa en cada comida. ¡Un cálculo bastante complejo!

Hemos de encajarlo todo, teniendo en cuenta que un alimento no contiene sólo uno de los macronutrientes, es decir, sólo hidratos de carbono, sólo proteínas o sólo grasas (salvo el aceite).

Por ejemplo, las proteínas suelen ir asociadas a grasas. Veamos aquí un ejemplo en la composición de la carne y el pescado:

Carnes	Proteínas/100 gramos	Grasas/100 gramos
Ternera magra	20,7 gramos	5,4 gramos
Pollo	19,9 gramos	9,6 gramos
Pechuga de pollo	22,2 gramos	6,2 gramos
Cerdo magro	22 gramos	7,6 gramos
Pavo	20,18 gramos	8,5 gramos
Pechuga de pavo	24,12 gramos	1 gramos
Pescado blanco	15-18 gramos	1-2 gramos
Pescado graso	18-22 gramos	9-16 gramos
Conejo	10,5 gramos	5,2 gramos
Cordero	15 gramos	10 gramos

Hoy en día existen programas informáticos que pueden dar solución fácilmente al problema anterior, sin embargo, aunque consiguiéramos una dieta con una distribución perfecta entre hidratos de carbono, proteínas y grasas… seguimos olvidándonos del aspecto cualitativo:

¿Será de la misma calidad el hidrato de carbono contenido en un zumo de naranja natural que el que podemos encontrar en un zumo de naranja envasado, al que se le añaden hasta 15 gramos de azúcar por litro?

¿Será igual aportar a nuestro cuerpo la energía que procede de un alimento real que la de un alimento que nos hemos inventado utilizando azúcar?

Por lo tanto, determinar el equilibrio exacto entre nutrientes en una dieta no es posible.

El único modo de saber que nuestra dieta es saludable es empezar por que los alimentos que la componen lo sean.

Debemos tener en cuenta que un alimento no es sano o insano porque contenga mucho o poco de uno u otro nutriente, sino por la cantidad de nutrientes en conjunto, porque sea un alimento natural no procesado (es decir, que aquí no tienen cabida los platos precocinados y congelados, los aperitivos de bolsa como las patatas o los panchitos, los postres industriales...) y se consuma crudo o se utilice una técnica de cocción amable.

Por ejemplo, la bollería no contiene colesterol y los huevos sí, pero la proteína del huevo es de alto valor biológico y la bollería contiene hidratos de carbono refinados, azúcar y grasas trans.

La supuesta obligatoriedad de realizar 5 comidas al día, basada en el mantenimiento de un índice glucémico constante en sangre, no ha conseguido confirmar dicha hipótesis mientras que conduce a una ingesta excesiva de alimentos. Para evitar grandes picos de glucemia en sangre lo que debemos hacer es tomar alimentos saludables, no comer 5 veces al día.

Las personas que siguen una dieta variada y predominantemente vegetal, si incluyen algo de pescado, podrían recibir todos los nutrientes que necesitan, pero aun así recomiendo suplementarse con B12 y vitamina D.

En cuanto a la vitamina B12, hemos de tener precaución porque su carencia no suele dar la cara con facilidad. El consumo habitual de vino, té, café o cacao, tan extendido, dificulta su asimilación, pues los taninos actúan como antinutrientes. Y la toma de medicamentos como los antiácidos, también. Muchas personas que se sienten agotadas y apáticas presentan una deficiencia de B12, que se puede corregir de manera muy sencilla a través de la suplementación. Pero si no se realiza antes de 7 años desde que se presenta la carencia, el daño puede ser irreversible.

La cantidad de B12 asimilada no sólo depende de su ingesta y de los antinutrientes de la dieta, sino también de la edad. Por encima de los 50 años, se fabrica menor cantidad de ácido clorhídrico, que es el encargado de disolver en el cuerpo la B12.

Los mariscos y diferentes pescados, sobre todo azules, son una buena fuente marina de vitamina B12. Además de proporcionarnos esta vitamina, también nos aportan grasas de buena calidad.

- Almejas: 98 microgramos de vitamina B12 por cada 100 gramos.
- Caballa: 19 microgramos de vitamina B12 por cada 100 gramos.
- Sardinas: 8,9 microgramos de vitamina B12 por cada 100 gramos.
- Arenques: 8,5 microgramos de vitamina B12 por cada 100 gramos.
- Salmón: 3,5 microgramos de vitamina B12 por cada 100 gramos.

La suplementación obligatoria en vitamina B12 sólo hace referencia a las personas vegetarianas estrictas denominadas veganas, que no consumen ni huevos ni lácteos o derivados en su dieta. En este caso, conviene suplementarse con un complejo de vitaminas del grupo B donde se reciba un aporte suficiente de B12.

Recomendamos también, por precaución, la suplementación con B12 para los vegetarianos que incluyen huevos y lácteos en su dieta. Basta el consumo de 1000 microgramos de B12 una vez a la semana. El laboratorio Solgar dispone de un formato de B12 masticable con sabor a cereza.

Las personas que siguen una dieta variada y predominantemente vegetal, si incluyen algo de pescado azul, podrían también obtener la cantidad adecuada de vitamina D. Sin embargo, también recomiendo la suplementación, dado que hoy en día, la carencia de vitamina D es casi común a todo el mundo.

Los vegetarianos deberían suplementarse especialmente por precaución. El laboratorio Sura Vitasán dispone de un formato de 1000 microgramos de vitamina D3 y sólo es necesario tomar una gota sublingual al día.

Pescados	Arenque	Congrio	Salmón ahumado	Jurel	Palometa	Salmón	Sardina	Anchoa
Contenido de vitamina D en microgramos por cada 100 gramos	27 µg	22 µg	19 µg	16 µg	16 µg	9,9 µg	7,9 µg	7 µg

La dieta vegetariana variada no es deficiente en aminoácidos esenciales, pues éstos se encuentran repartidos entre cereales, semillas y legumbres, y basta con ingerir dichos grupos a lo largo del día sin que sea necesario mezclarlos en la misma comida.

La leche no es ni imprescindible ni la única fuente de calcio para nuestros huesos, hay otros alimentos que destacan por su riqueza en calcio como el sésamo, el tahini, las almendras, los higos, las coles, las hojas verdes o las algas.

Comer yogur para regenerar flora intestinal no funciona. Es lo que dicen los anuncios de televisión, pero no es la realidad. El yogur es un producto obtenido mediante la fermentación bacteriana de la leche, un proceso que produce nutrientes importantes como aminoácidos, ácidos grasos esenciales y vitaminas; pero cuando se fabrica yogur y se pasteuriza, o aunque

no se pasteurice si pasa el tiempo, se produce la reducción progresiva de su población bacteriana. Para que las bacterias del yogur propicien una flora intestinal fermentativa ideal para aumentar las condiciones de tu sistema inmune, deberías consumirlo como mucho 72 horas después de su producción... y esto sólo lo puedes controlar si lo has hecho tú.

Recuerda que la leche en todo caso debería ser ecológica, cruda y preferentemente de cabra y no de vaca, ya que las proporciones de nutrientes que se encuentran en la leche de vaca son ideales para nutrir a las vacas, que pesan entre 500 y 600 kilos, es decir, entre 80 y 100 veces más que una persona. Las cabras son más pequeñas y pesan entre 50 y 60 kilos, por tanto, los nutrientes de la leche de cabra son más adecuados para animales de menor tamaño, como los humanos.

Según menciona el doctor Campbell en *El estudio de China,* «la proteína animal de los productos lácteos contribuye al desarrollo de un medio ácido adecuado para el desarrollo de células cancerosas y tumores». Mucha gente consume yogur a diario porque piensa que es bueno para su salud.

La leche con la que se hace el yogur contiene:

- Demasiadas hormonas femeninas, las propias del animal y las que se han administrado a las vacas para que aumenten su producción láctea;
- Gran cantidad de antibióticos y otros medicamentos que se administran a las vacas, y
- Cantidades ingentes de pesticidas y abonos químicos procedentes del pienso con el que se las alimenta.

Dolencias comunes relacionadas con la ingesta de alimentos ricos en hormonas y antibióticos (leche, derivados de la leche como yogur, mantequilla o queso, huevos, carne, embutido y pescados de piscifactoría)			
Hipotiroidismo	Ansiedad	Artritis y otras molestias articulares	Fibromialgia

Si las poblaciones más longevas del planeta comparten algunas características como la vida en comunidad, un bajo índice de estrés, el consumo de bebidas y alimentos no procesados industrialmente y la restricción calórica, parece que cobra sentido, pues, incorporar sus métodos. Éste es el caso de poblaciones como la de la isla japonesa de Okinawa o la del valle de Vilcabamba en Ecuador. Volveremos a hablar de los okinawenses un poco más adelante.

Una dieta saludable no tiene por qué ser cara y ahora lo vamos a comprobar. Sin embargo, lo que sí está claro es que comer alimentos de mala calidad es barato. La harina y el azúcar que se encuentran en la bollería son mucho más económicos que las verduras y las frutas. Por eso es fácil estar desnutrido y sin embargo padecer sobrepeso. En la cesta del consumidor medio aún no llegan al 50 % los productos frescos como las verduras, las frutas, los huevos o el pescado.

Lo que nos creemos

Por algunas expresiones habituales, he observado que muchas personas creen que llevan una alimentación sana y no es así.

Yo no tomo lácteos	Las personas que dicen que no toman lácteos normalmente se refieren a que no beben leche, pero se olvidan de que el queso, la mantequilla, la nata, los helados, el yogur... son todos productos lácteos igual.
Yo no tomo azúcar	Las personas que dicen que no toman azúcar normalmente se refieren a que no le añaden azúcar al café o al yogur, pero se olvidan de que el azúcar se encuentra en las galletas, los pasteles, la bollería, refrescos... e incluso en salsas y panes de molde.
No como aguacate/ frutos secos porque tienen mucha grasa	El aguacate es un alimento rico en ácidos grasos insaturados y los frutos secos también. A la vez, son ricos en vitamina E y fibra. Dejar de comerlos y seguir consumiendo alimentos ricos en grasa saturada y sin fibra, como leche, yogur, queso, pavo, pollo, embutido, paté o carne de cualquier tipo es un error. Si tomas filete con ensalada porque adelgaza, a medio plazo adelgazarás mucho más si sustituyes el filete por aguacate o por frutos secos, porque estarás mucho mejor nutrido y tus células demandarán menos cantidad de comida. Obtendrás proteínas más sanas, fibra, ácidos grasos insaturados sin colesterol, y nada de hormonas, antibióticos o restos de piensos artificiales.
El aceite de coco contiene grasa saturada	El aceite de coco no contiene colesterol, pero sí contiene un 85 % de grasa saturada. Sin embargo, más del 65 % de sus grasas se encuentran en forma de ácidos grasos de cadena media, que se digieren y cruzan las membranas celulares fácilmente, por lo que se convierten inmediatamente en energía en el hígado en lugar de ser almacenados como grasa. Cerca de un 50 % del contenido de grasa en el aceite de coco es ácido láurico, que rara vez se encuentra en la naturaleza, de probado efecto antiinflamatorio. Además, eleva el HDL, lo que mejora el perfil lipídico sanguíneo. Al consumir este tipo de grasa disminuyen las citoquinas proinflamatorias y se mejora la sensibilidad a la insulina.
La pasta es sana	El trigo es un cereal con gluten, una de las moléculas causantes de alergias en personas con permeabilidad intestinal (la otra es la caseína). Normalmente, la pasta se elabora con trigo refinado. El trigo refinado no contiene fibra y su índice glucémico es muy elevado. Su consumo continuado contribuye a desarrollar resistencia a la insulina y obesidad.
Las latas de conserva son sanas	Las latas pueden estar recubiertas de una sustancia cancerígena denominada bisfenol A o BPA. Si alguna vez te ves en la necesidad de consumir algo envasado, que lo esté en un tarro de cristal y que su conservante sea únicamente sal marina; nada de E-xxx.
La pechuga de pollo es una carne magra	Magro significa sin grasa. La pechuga de pollo sin piel posee 6,2 gramos de grasa por cada 100 gramos y la mitad es grasa saturada.

El plato saludable de Harvard

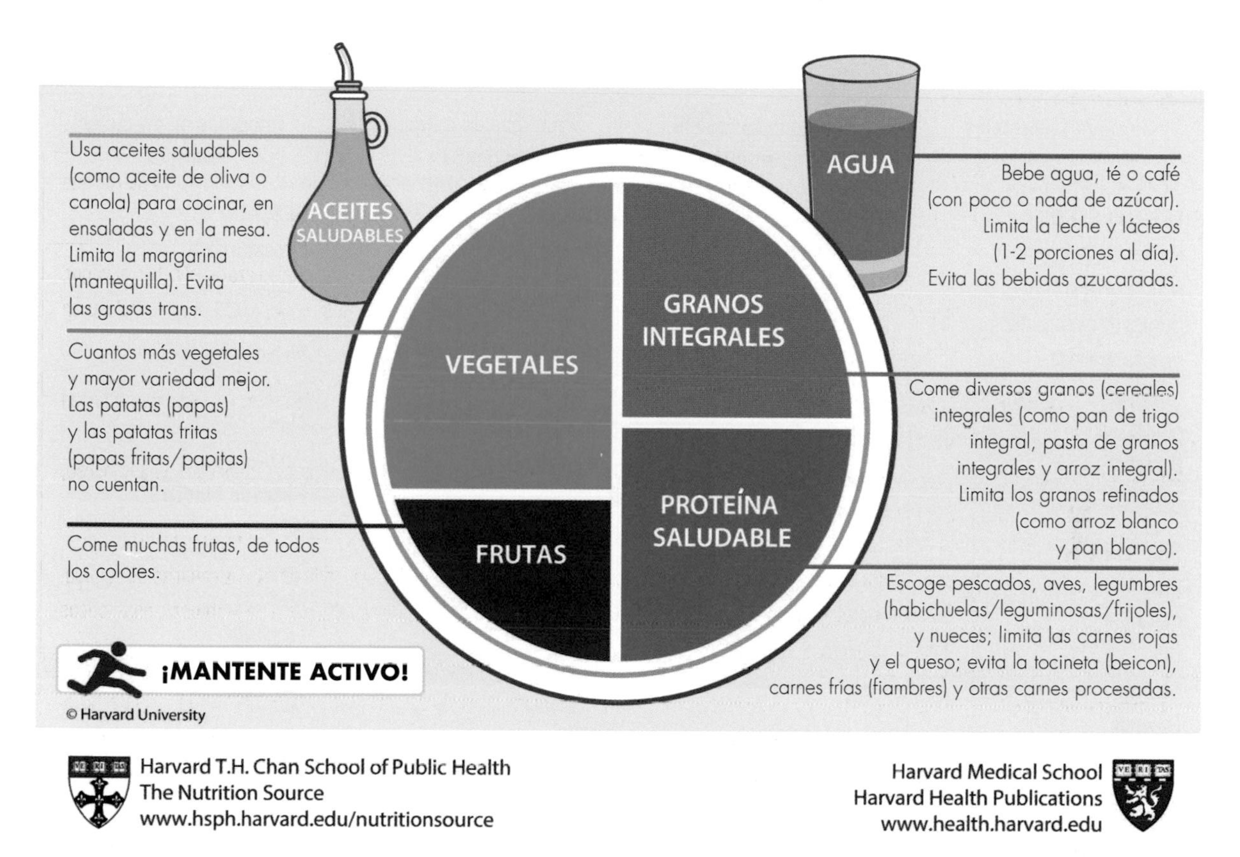

Éstas son las directrices dietéticas que nos llegan de la Universidad de Harvard.

Para comprenderlo bien, a continuación vamos a estudiar qué alimentos se clasifican en cada uno de sus 4 grandes bloques.

Además, una deficiente combinación de alimentos y el exceso de éstos también influyen en nuestro estado intestinal. Como indicaba en mi libro *Flexivegetarianos,*[2] para saber mezclar correctamente los alimentos, primero hay que saber a qué grupo pertenece cada uno.

2. Moreno, A.: *Flexivegetarianos.* Ediciones Obelisco, Barcelona, 2014.

Listado de alimentos

Proteínas saludables

Proteínas vegetales	Proteínas derivadas de los animales	Proteínas de animales terrestres	Proteínas de animales marinos
FRUTOS SECOS Nueces de California Nueces pecanas Nueces de macadamia Nueces de Brasil Anacardos Almendras Pistachos Avellanas **SEMILLAS** Lino Cáñamo Chía Girasol Calabaza Amapola **LEGUMBRES** Guisantes Garbanzos Lentejas Alubias Frijoles Soja Derivados de la soja: tofu, tempeh, salchichas, hamburguesas, yogur, leche **OTROS** Gluten de trigo (seitán) Alga espirulina Aguacate	**HUEVOS** De gallina De avestruz De codorniz De oca **LÁCTEOS** Leche Yogur Kéfir Requesón Mantequilla Queso Helados Nata **GELATINA** De pescado De animales terrestres	**CARNE** **De res** Vaca Toro Cerdo Oveja Cabra **De ave** Pollo Pavo Oca **Caza menor** Conejo Liebre Codorniz Perdiz Faisán **Caza mayor** Ciervo Corzo **EMBUTIDO** Jamón Pavo Mortadela Salchichón Salami Manteca colorá Fuet **Otros** Foie Foie-gras Patés Hamburguesas	**PESCADO** **Pescado azul** Sardina Anchoa Arenque Jurel Atún Pez de espada **Pescado blanco** Gallo Rape Merluza Lenguado Bacalao Cabracho Congrio Rodaballo Lubina **MARISCO** **Crustáceos** Camarones Langostinos Cangrejos Percebes **Moluscos** Mejillones Almejas Berberechos Chipirones Pulpo **Otros** Erizo de mar

La anterior es una tabla general de proteínas. Es orientativa y no exhaustiva y resume las principales proteínas presentes en la alimentación humana.

Ningún alimento es 100 % proteína, grasa o hidrato, por lo que podrían clasificarse de manera diferente.

A efectos de su clasificación, normalmente hemos seleccionado el macronutriente principal que destaca en su composición, salvo en el caso de las legumbres (que se clasificarían dentro de granos) y de algunos pseudocereales, que por contener todos los aminoácidos esenciales, podrían clasificarse también como proteicos (quinoa y trigo sarraceno).

> Harvard nos insta a minimizar o eliminar el queso, la carne de res, el embutido y otras carnes procesadas como las hamburguesas.

Granos integrales

Aunque en este bloque Harvard no hace referencia a todos los hidratos de carbono, sino solamente a granos integrales, nosotros vamos a desglosar todas las listas de alimentos que se clasifican como hidratos de carbono. ¿Por qué? Porque si antes hemos elaborado una lista de un macronutriente como es la proteína, vamos a continuar elaborando listas basándonos en macronutrientes. Existen 3 macronutrientes o nutrientes que de siempre se han considerado que debemos consumir en mayor proporción en nuestra dieta: proteínas, hidratos de carbono y grasas.

Los hidratos de carbono se encuentran en granos integrales, féculas ricas en almidón y hortalizas medianamente almidonadas. Se denomina fécula a la contenida en patata, batata y demás tubérculos. Y se llama almidón la fibra contenida en los granos de los cereales.

Hidratos de carbono			
Granos integrales			**Féculas o verduras ricas en almidón**
Cereales con gluten Trigo (pan, pastas, sémolas, pizza, galletas, bollos) Avena Centeno Cebada	**Cereales sin gluten** Maíz Arroz integral Sorgo Avena sin gluten	**Pseudocereales** Quinoa Trigo sarraceno Mijo Amaranto Teff	Patata Calabaza Boniato o batata* Castaña Bellota Chufa Plátano
* Son la misma especie, pero la batata es más roja y su carne se ablanda más al cocinarse.			

Aceites saludables

Harvard incluye el de canola o colza, pero nosotros lo vamos a evitar.

Aceites saludables
Aceite de oliva virgen extra
Aceite de girasol no refinado
Aceite de coco no refinado
Aceite de sésamo
Aceite de semillas de aguacate
Aceite de lino
Aceite de chía
Ghee o mantequilla clarificada*
* El ghee contiene ácido butírico, el cual cumple un importante papel para el mantenimiento de la salud de la flora intestinal y del colon, además de actuar como antiinflamatorio que lubrica las articulaciones. Es ideal para personas con síndrome del intestino irritable, colitis ulcerosa o Crohn y artritis.

Bebidas

Bebidas recomendadas	Bebidas a minimizar o evitar
Agua	Leche
Agua de coco	Derivados lácteos (batidos con leche o crema)
Zumos verdes	Zumos envasados azucarados
Té o infusiones	Otras bebidas azucaradas
«Leches» vegetales	

Frutas

Fruta dulce	Fruta ácida	Fruta desecada	Fruta neutra
Uva	Níspero	Dátiles	Manzana/Pera
Mango	Membrillo	Higos	Papaya/Piña
Melón	Tamarindo	Pasas	**Frutos rojos**
Caqui	Ruibarbo	Orejones de albaricoque	Fresas
Chirimoya			Frambuesas/Moras/Arándanos
			Granada
			Sandía
			Ciruela
			Cítricos
			Naranja/Mandarina/Pomelo
			Limón
			Kiwi

Verduras

Como has visto, hemos clasificado algunas verduras en el grupo de los hidratos de carbono debido a su contenido en almidón. Vamos a incluir en este grupo las hortalizas no amiláceas. Por su bajo contenido en almidón, la mayoría se puede consumir en crudo (salvo la berenjena y las coles) o cocinadas.

Verduras u hortalizas no amiláceas		
Hojas verdes	**Verduras que botánicamente son frutas**	**Coles**
Lechuga	Pimiento	Brócoli
Endibia	Pepino	Coliflor
Espinaca	Calabacín	Col china
Escarola	Berenjena	Repollo o col verde
Rúcula	Tomate	Col lombarda
		Kale
Aromáticas	**Bulbos**	**Raíces**
Albahaca	Apio	Rabanito
Perejil	Ajo	Jengibre
Cilantro	Hinojo	Cúrcuma
Tomillo	Puerro	Zanahoria
	Cebolla	

Fórmula para estar lleno de energía

Calidad del alimento

Como ya hemos visto en páginas precedentes.

Cantidad de alimento

Como indican los japoneses, es recomendable respetar el «hara hachi bu».

En la isla japonesa de Okinawa, los pobladores rezan el mantra tradicional «hara hachi bu» antes de ingerir alimentos. Literalmente significa «estómago lleno 8 veces de 10». En la vida práctica se traduce en comer hasta alcanzar un 80 % de la saciedad.

Combinación del alimento con otros alimentos

Una alimentación equilibrada es aquella que se basa en una variedad suficiente de alimentos, pero no en la misma comida, sino alternados en distintas tomas. Cuanto más sencilla sea una comida, más fácil será de digerir y mejor se aprovecharán sus nutrientes mediante un metabolismo óptimo de éstos.

Si durante la misma toma los alimentos se mezclan correctamente, ocurre que…

- Las digestiones se hacen más livianas.
- La persona se siente más vital, más ágil, especialmente si es una persona que padece de estómago, hígado o vesícula.
- Los alimentos se asimilan y metabolizan correctamente cuando no se pudren en el intestino y sus principios nutritivos no se degradan, convirtiéndose en toxinas.
- Además, se podrán digerir alimentos que antes no se toleraban.
- Desaparecen alergias alimentarias.
- Desaparecen problemas de mala absorción intestinal.

FÓRMULA PARA ESTAR LLENO DE ENERGÍA

Calidad del alimento + Cantidad «hara hachi bu» + Combinación de alimentos por compatibilidad digestiva

Reglas básicas Morenini de compatibilidad digestiva

- **No comas juntos proteínas con hidratos de carbono.** Las proteínas se digieren en un medio ácido en el estómago mediante la acción del ácido clorhídrico; en cambio, los hidratos, necesitan un medio alcalino para su digestión. La digestión de los hidratos comienza en la boca con la secreción de la enzima ptialina, pero una vez ingeridas las proteínas, su digestión comienza en el estómago con la secreción de la enzima pepsina, que tiene la propiedad de inhibir la acción de la ptialina, frenando la digestión de los hidratos de carbono. Es decir, no debemos comer huevos con patatas ni queso con pan. Las verduras que contienen almidón como la calabaza o el boniato, etc., no las consideramos carbohidratos, excepto la patata.
- **No comas juntos dos hidratos de carbono distintos.** Es una de las peores incompatibilidades que podemos realizar: por ejemplo, pasta con pan o plátano con arroz. Suponen una sobresaturación del sistema digestivo, lo que ocasiona un elevado índice de residuos metabólicos.
- **No comas juntas dos proteínas distintas.** La putrefacción intestinal que ocasiona la mala digestión de las proteínas es una de las mayores fuentes de toxemia orgánica. Evita combinaciones como, por ejemplo, huevo con queso o con salchichas, aunque éstas sean vegetales (de soja, porque la soja es una legumbre y consideramos proteínas a las legumbres). Exceptuamos la mezcla de semillas con el resto de proteínas.
- **La fruta siempre sola. Sólo combina bien la fruta neutra.**
- **La verdura y los aceites combinan con todo, excepto con la fruta no neutra.**

	Proteínas	Hidratos de carbono	Frutas neutras	Resto de frutas	Verduras	Aceites
Proteínas	no	no	sí	no	sí	sí
Hidratos de carbono	no	no	sí	no	sí	sí
Frutas neutras	sí	sí	sí	no	sí	sí
Resto de frutas	no	no	no	sí	no	no
Verduras	sí	sí	sí	no	sí	sí
Aceites	sí	sí	sí	no	sí	sí

Un menú de dos platos suele implicar una mala combinación de alimentos. Ejemplo:

Menú de 2 platos	Contenido en macronutrientes
1.º menestra de verduras con jamón	Proteína
2.º pescado al horno con patata cocida	Proteína e hidrato de carbono
Conclusión: Mezcla dos proteínas Mezcla proteína con hidratos de carbono	

Teoría Morenini de los reyes y los siervos

La teoría de los reyes y los siervos aporta sencillas directrices para combinar los alimentos sin sobrecargar la alimentación diaria y sin que tengas la necesidad de aprender todas las reglas anteriores, que pueden parecer complejas.

Aunque no sigamos siempre la teoría de los reyes y los siervos, especialmente en los desayunos, *se sugiere que se observe al menos en la comida y en la cena cuando se realicen en casa.* De este modo comerás variado y no llevarás una alimentación densa y difícil de digerir. Es una manera sencilla de equilibrar en casa los excesos puntuales que puedas realizar cuando comes fuera de casa.

Se trata de que no falten nutrientes,
y más aún, sobre todo, de que no sobren.

Hoy en día el ser humano lo tiene todo y sin embargo sigue pensando en términos carenciales. Por ello se sobrecarga sistemáticamente la alimentación y se padecen malas digestiones, sobrepeso, colesterol, azúcar y ácido úrico, todas ellas patologías derivadas de los excesos.

En mi experiencia profesional, no he encontrado a nadie que, por comer poco, presentara deficiencias nutricionales (excepto personas con trastornos de la alimentación), más allá del hierro un poco bajo, que paradójicamente era consecuencia de un consumo excesivo de café, que como hemos visto contiene taninos, un tóxico antinutriente que minimiza la asimilación de la B12 y también del hierro. Sin embargo, he encontrado con frecuencia muchas personas que sufren por causa de los excesos en la dieta.

Patologías de exceso	Dolencias por mala combinación de alimentos
Originadas por comer demasiados alimentos excesivamente ricos en determinados componentes	**Originadas por mezclar muchos alimentos entre sí que requieren diferentes formas de digestión**
Malas digestiones Sobrepeso Colesterol Azúcar en sangre Ácido úrico Letargo mental Estreñimiento Hígado graso	Malas digestiones Sobrepeso Gases Distensión abdominal Dolor abdominal Soñolencia

Por ejemplo, personas con sobrepeso, con colesterol, con ácido úrico, con diabetes, con estreñimiento, con hígado graso..., ¿te das cuenta? ¡Son todo patologías de exceso! Adelante con la teoría:

Imagina un rey reinando en su reino rodeado de sus súbditos. Graba bien esta imagen en tu cabeza porque es una metáfora de cómo es el plato de comida ideal bien combinado. Así como en un reino sólo puede haber un rey, no más de uno, porque entonces se produciría una guerra civil, en tu plato de comida sólo debe haber un alimento denso, al que llamaremos alimento rey. Y como el rey necesita muchos súbditos que le sirvan, acompañaremos el alimento rey de muchos alimentos siervos.

Pon sólo un rey en tu plato de comida, para evitar sobrecargar tu alimentación y que se produzca una guerra civil con malas digestiones y parámetros en sangre elevados. Ten en cuenta acompañarlo bien de sus siervos.

Alimentos siervos Combinan con todo	Alimentos reyes Siempre con verdura + aceites Excepto fruta, que va siempre sola
Fruta neutra Verduras Grasas Especias y condimentos	Todos los demás

Flexibilidad

Si crees que es imposible que en tu plato saludable haya sólo un siervo..., haz este sencillo análisis:

Observa tu dieta actual. Imagina una comida cualquiera que suelas hacer. ¿Tal vez el cocido madrileño de los sábados?

Contemos los reyes que podemos encontrar en el cocido madrileño:

Fideos
Patata
Garbanzos
Chorizo
Morcilla

Son cinco reyes. ¿Lo comes con pan? Entonces son seis reyes.

Bien, pues si mi propuesta de sólo un rey en tu plato de comida es demasiado para ti... prueba con dos.

Dos reyes son mejor que seis.

Planificador
de
batch cooking

Cocina 3-4 horas y ten comida para toda la semana

Si no has entendido bien todo lo anterior, te ruego que vuelvas a darle un buen repaso. Si no tienes lo anterior bien entendido, se te hará un mundo lo que sigue…

Vamos a aprender cómo confeccionar un menú ideal para cada comida y cómo cocinar en 3-4 horas como mucho lo que comerás durante toda la semana.

De esta manera, cada día sólo tendrás que dedicarle unos 15 minutos a cada comida, y comerás, sin embargo, platos completos y redondos en cuando a nutrientes, digestibilidad y sabor. Recuerda el esquema de Harvard que está en la pág. 39.

Plato saludable de Harvard simplificado *by* Morenini

Vamos a simplificar el gráfico adaptándolo a las tres comidas principales del día para que cuando mires tu plato, en cada comida, puedas observar visualmente si estás cumpliendo los porcentajes de alimentos en el volumen que Harvard propone. Es decir, vamos a distribuir los porcentajes de Harvard de manera apetecible entre los tres platos del día: desayuno, comida y cena.

¡ **NOTA IMPORTANTE:** Tomaremos la fruta siempre por la mañana. Eso siempre y cuando te apetezca desayunar. Si no te apetece, puedes saltarte el desayuno. Pero recuerda, si no desayunas, debes incluir la fruta en otro momento. !

Dónde incluir la fruta si no se desayuna	Dónde no incluir la fruta si no se desayuna
A media mañana o a media tarde. Antes de la comida o de la cena.	De postre o en la comida, por ejemplo «ensalada de melón con jamón» no lo recomiendo.
(De 1 hora a unos 30 minutos antes o, al menos, mientras te preparas la comida, en lugar de una cervecita y patatas fritas).	La razón es evitar las fermentaciones digestivas cuando no se sigue la teoría de los reyes y los siervos.

Desayuno saludable Morenini inspirado en Harvard y según la teoría de los reyes y los siervos

A la mayoría de las personas, el momento en que más les gusta comer verduras no es en el desayuno, sino en la comida de a mediodía o en la cena. Por eso, en el desayuno vamos a incluir frutas, y en todo caso granos y proteínas, aunque no cumpla la teoría de los reyes y los siervos:

Pero según gustos, tipología y estilo de vida, el desayuno también podría ser así:

O así:

Fruta + grano + proteína	Sólo fruta
• Deportistas y estudiantes • Personas que siempre tienen mucha hambre y necesitan comer cada poco tiempo • Niños y embarazadas • Normalmente hombres • Quienes tienen dificultades para subir de peso	• Personas sedentarias • Quienes suelen tener sueño después de comer o les baja la energía • Quienes comen sólo dos veces al día • Normalmente mujeres • Quienes tienen tendencia a ganar peso

Comida saludable Morenini inspirada en Harvard y según la teoría de los reyes y los siervos

En la comida vamos a incluir verduras y granos.

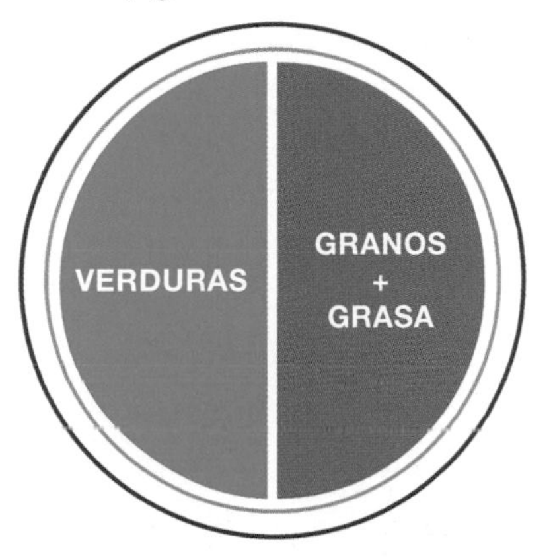

Cena saludable Morenini inspirada en Harvard y según la teoría de los reyes y los siervos

En la cena vamos a incluir verduras y proteína saludable.

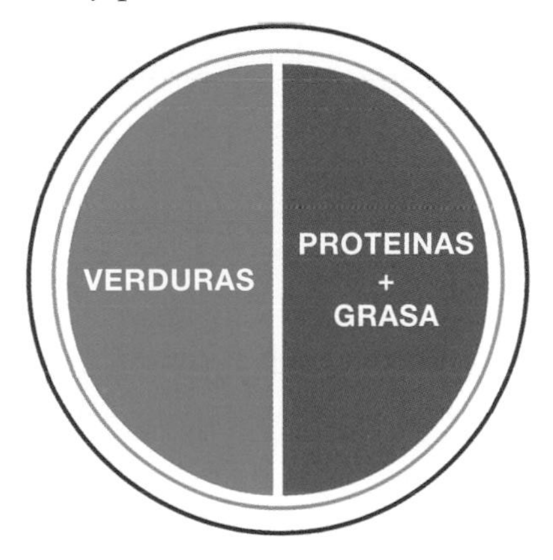

La verdura incluye verdura cruda (ensaladas) y cocinada.

¿Cuándo comer verdura cruda y cuándo cocinada?	Verdura cruda	Verdura cocinada
Comida	50 %-100 %	0 %-50 %
Cena	0 %-50 %	50 %-100 %

Como hemos visto, en el cómputo total de las tres comidas, y siguiendo a Harvard, lo que menos comemos cada día es fruta y lo que más, verduras.

¿Te extraña que no haya que comer tanta fruta como creías? Pues no sólo lo dice Harvard, también lo postula la macrobiótica de George Osawa desde hace muchísimos años.

¿Y que ganen por goleada las verduras a las proteínas? Pues esto se dice en más sitios todavía: en una dieta saludable deben primar los vegetales sobre las proteínas. Por eso, si quieres comer sano, tener energía y prevenir o tratar cualquier dolencia, sigue mi sugerencia: «vegetarianiza tu dieta».

Lista de la compra y fondo de despensa

Lo más eficiente es disponer de un fondo de despensa básico en casa.

Este fondo de despensa incluirá ingredientes que tienen fechas de caducidad elevadas, como por ejemplo los botes de garbanzos cocidos o de mostaza. Lo ideal es que hagas una primera compra grande de fondo de despensa, clasificando los ingredientes por grupos de alimentos.

Granos saludables	Legumbres saludables	Semillas	Frutos secos	Grasas saludables	Especias curativas y condimentos	Otros
Arroz basmati Quinoa Avena en copos Leche de avena Pan integral Bizcocho de nueces	Lentejas Lenteja roja Alubias Garbanzos Tempeh Tofu	Semillas de chía Semillas de lino Semillas de calabaza Semillas de sésamo Tahini	Pistachos Nueces Almendras Avellanas Nueces de macadamia	Aceite de coco Aguacate Aceite de oliva virgen extra Ghee Aceitunas	Canela Curry Cúrcuma Comino Pimienta Zatar Sal marina Mostaza Vinagres sin azúcar Endulzantes sanos (sirope de agave, azúcar de coco, miel)	Agua de mar Agua de coco Caldo vegetal Conservas en cristal - De verduras (alcachofas, tomate seco…) - De legumbres - De pescado

De este modo, cada semana sólo tendrás que comprar los ingredientes frescos, en este caso las frutas, las hojas verdes, las hortalizas y las verduras, así como los huevos ecológicos y el pescado, en caso en que optes por consumirlo.

Antes de meterte en la cocina...

Para que una receta salga rica, debemos equilibrar bien su sabor. Para ello, existe un truco, que consiste en incluir siempre una parte grasa y equilibrar el sabor dulce, el ácido y el salado.

	Dulces	Salados	Ácidos	Grasa
Alimentos siervos	Verduras dulces como la calabaza, el pimiento rojo, la zanahoria... Fruta neutra Endulzantes sanos (salvo la miel)	Sal natural de diferentes tipos (marina, del Himalaya, azufrada, celta...) Miso Tamari Gomasio Verduras saladas como el apio	Mostaza Vinagres sin azúcar Limón	Aceite de coco Aguacate Aceite de oliva virgen extra Ghee Aceitunas
Alimentos reyes	Verduras dulces como el boniato o la batata Fruta dulce Fruta desecada Miel			Semillas de chía, lino, calabaza, sésamo Tahini Pistachos Nueces Almendras Avellanas Lácteos Huevos Pescado

Estructura de las comidas diarias para preparar nuestro batch cooking

Vamos a considerar cada mitad de plato (cada 50 %) como una medida.

Desayuno	Comida	Cena
1 medida de fruta ½ medida de grano ½ medida de proteína	1 medida de grano ½ medida de verdura cruda ½ medida de verdura cocinada	1 medida de proteína ½ medida de verdura cruda ½ medida de verdura cocinada

Ahora es importante que tengas bien repasado el apartado «Listado de alimentos» de la pág. 40:

Fruta idónea para desayunar	Grano idóneo para desayunar	Proteína idónea para desayunar
Cualquier fruta neutra	Cereales de preferencia sin gluten Pseudocereales	Aguacate Semillas Cremas de semillas (tahini) Frutos secos Cremas de frutos secos (pasta de almendras…) Huevos ecológicos Yogur o kéfir Quesos frescos o de untar (minimizar) Embutido (no lo recomiendo)

Verdura idónea para comer	Hidrato de carbono idóneo para comer	
	Granos	Féculas
Cualquier hortaliza cruda Verduras cocinadas (vapor, horno, salteadas) Cremas de verduras	Cereales de preferencia sin gluten Pseudocereales	Patatas, boniato, batata

Verdura idónea para cenar	Proteína idónea para cenar
Cualquier hortaliza cruda (omitir en caso de que cueste mucho digerir los crudos de noche) Verduras cocinadas (vapor, horno, salteadas) Cremas de verduras	Semillas Frutos secos Legumbres cocidas Derivados de la soja como tempeh y tofu Huevos ecológicos Yogur o kéfir Quesos frescos o de untar (minimizar) Pescado Marisco Carne o embutido (no lo recomiendo)

Prep meals o batch cooking para 5-7 días

Vamos a multiplicar por 4 días las necesidades diarias, ya que hacemos batch cooking para 4 días que, como ya vimos, se convierten en una semana, y las vamos a correlacionar con recetas. Éstas serán el objeto de nuestro batch cooking.

Desayuno x 4	Comida x 4	Cena x 4
4 medidas de fruta 2 medidas de grano 2 medidas de proteína	4 medidas de grano 2 medidas de verdura cruda 2 medidas de verdura cocinada	4 medidas de proteína 2 medidas de verdura cruda 2 medidas de verdura cocinada

O lo que es lo mismo, necesitamos:
4 medidas de fruta para el desayuno
2 medidas de grano para el desayuno
2 medidas de proteína para el desayuno

4 medidas de grano para la comida
4 medidas de proteína para la cena

4 medidas de verdura cruda
4 medidas de verdura cocinada

Preparación de la fruta y de la verdura cruda

La preparación de la fruta y de la verdura cruda (ensaladas), la realizaremos por separado. Como no se cocina, no entra dentro del batch cooking, sino de lo que denominamos *mise en place.*

- Compraremos fruta neutra de dos clases.
- Por ejemplo, en invierno, manzanas y peras. Pueden estar fuera de la nevera.
- En verano, podrían ser piña y fresas. Mejor refrigeradas.
- Compraremos hojas verdes para preparar ensalada (lechuga romana, escarola, endibia, rúcula, canónigos, mézclum...).
- Las picaremos con un cuchillo de cerámica para que no se oxiden y las lavaremos utilizando una centrifugadora de ensalada. Las conservaremos en la nevera en bolsas de plástico alimentario con cierre de zip, disponiendo una servilleta o papel de cocina entre el plástico y las hojas verdes para absorber el exceso de humedad.
- También puedes comprar las verduras ya preparadas en bolsas.

- Compraremos también hortalizas que se pueden consumir en crudo, como por ejemplo, rabanitos, ajo, cebolla, pimiento rojo, amarillo, verde, tomates, pepino, zanahorias, calabacín... Los conservaremos refrigerados. Recomiendo una bolsa para guardar vegetales que se llama Vejibag. Es una bolsa de algodón orgánico para conservar frutas y vegetales. Se mantienen frescos por más tiempo. A la venta en conasi.eu

Preparación de los alimentos cocinados: verduras, grano y proteína

Como ya hemos preparado la fruta y la verdura cruda para ensaladas, ahora nos quedan pendientes los otros 5 ítems:

2 medidas de grano para desayuno
2 medidas de proteína para desayuno
4 medidas de grano para la comida
4 medidas de proteína para la cena
4 medidas de verdura cocinada

Ahora nos toca desarrollar la creatividad y realizar estas 16 preparaciones básicas.

¿Cómo?

¿Que tengo que preparar 16 recetas?

No es necesario. ¡Que no cunda el pánico! Verás qué sencillo lo hacemos...

Preparaciones necesarias para los desayunos

Prepara los batidos en el momento, y si necesitas llevarlo contigo, hazlo en un tarro de cristal redondo con boca ancha, como por ejemplo los frascos donde se venden las legumbres cocidas.

Este apartado es para ti si desayunas algo más que fruta y leche vegetal con café, algarroba o café de cereales.

Vamos a verlo con un ejemplo:

2 medidas de grano para el desayuno	2 medidas de proteína para el desayuno
Leche de avena	Aguacate
Copos de avena cocidos	Semillas de calabaza
Un pan idealmente sin gluten	Nueces o almendras
Un bizcocho idealmente sin gluten	Tahini

De este modo, tu desayuno (insisto en que también lo puedes omitir como ya he explicado antes) puede ser como sigue:

(Recuerda que también tenemos fruta)

- *Porridge* de copos de avena cocidos en leche de avena con manzana y pera en dados, y semillas de calabaza.
- Batido de manzana y pera con leche de avena, pan sin gluten con aguacate.
- Leche de avena caliente y bizcocho con nueces.
- Pan con tahini y rodajas de manzana y pera.

Puedes alternar cada día tu desayuno.

Para conseguirlo, sólo tienes que:

Hacer 2 raciones de *porridge.*

Puedes comprar pan ecológico e integral, de preferencia sin gluten.

Lo mismo con el bizcocho de nueces y semillas.

El batido de manzana y pera se prepara sobre la marcha (aunque también podrías tener ya las manzanas y peras cortadas en trozos y dispuestas en una bolsa de plástico alimentario en la nevera).

Bien. Ya tenemos 8 preparaciones y sólo hemos cocinado 1 cosa.

También puedes hacer el pan y el bizcocho. Por si te has venido arriba, en esta obra encontrarás las recetas.

Preparaciones necesarias para las comidas y las cenas

4 medidas de grano para la comida	4 medidas de verdura cocinada	4 medidas de proteína (podrían ser 2 dobles) para la cena
Quinoa x 2 Arroz basmati integral x 2	Calabaza al horno con orégano Zanahoria, remolacha, puerros y boniato al horno al aroma de zatar Crema de calabacín, brócoli, coliflor y puerros al curry Brócoli y coliflor al vapor	Huevos cocidos Garbanzos cocidos Tempeh Tofu

De este modo, tu comida puede ser (recuerda que también tenemos verdura cruda ya preparada):

Quinoa	con calabaza al horno con orégano	y ensalada de rúcula, aceitunas negras y tomate seco
Crema de calabacín, brócoli, coliflor y puerros al curry	con quinoa migada	y ensalada de rúcula, tomates cherry y rabanitos con vinagreta de mostaza
Ensalada templada de arroz basmati	verduras al horno (zanahoria, remolacha, puerros, boniato) al aroma de zatar	y mézclum aliñado con salsa de mostaza y miel
Arroz basmati	con brócoli y coliflor al vapor aliñados con aceite de oliva con cúrcuma y pimienta negra	con rabanitos y tomatitos cherry

Para conseguir esto sólo tienes que:

1. Cocinar 2 raciones de quinoa.
2. Cocinar 2 raciones de arroz basmati integral.
3. Cocinar la calabaza al horno con orégano.
4. Cocinar al horno las verduras (zanahoria, remolacha, puerros y boniato) al aroma de zatar.
5. Cocinar el brócoli y la coliflor al vapor.

¡Que no cunda el pánico!

Cómo hacer el arroz basmati, la quinoa, la crema de verduras y las verduras al vapor de un plumazo

Puedes utilizar una olla grande, como por ejemplo el «vitalizador» de la marca Codis Verd, que dispone de una base de 4 u 8 litros de capacidad, según el tamaño (pequeña 20 cm, grande 24 cm), por lo que nunca se quedará el depósito sin agua, tapada por una rejilla donde puedes cocinar al vapor, a su vez tapada con una tapadera convexa. El formato de la tapadera evita que la temperatura suba por encima de los 95 °C.

En el recipiente inferior, puedes hacer a la vez la quinoa, el arroz basmati y la crema de verduras. ¿Quieres saber cómo?

1. Dispón la quinoa en una bolsa de tela, de las que se utilizan para hacer leches vegetales, y que puedes encontrar con facilidad en Amazon.
2. Haz lo mismo con el arroz basmati.
3. Trocea pequeño el puerro y el calabacín. Añade también los troncos del brócoli y de la coliflor en trozos pequeños.

4. Añade todo a la base de la olla.
5. Si te es posible, añade un vaso de agua de mar. Si no, omite este paso.
6. Cúbrelo bien de agua.
7. Coloca pequeños arbolitos del brócoli y de la coliflor en la rejilla para vapor.
8. Coloca ahí también huevos crudos para que se cuezan al vapor 12 minutos y obtener huevos cocidos (más adelante verás que nos vendrán bien para las cenas).
9. Tapa la olla, cocina al vapor 15 minutos (sacando la rejilla con los huevos y las verduras al vapor a los 10-12 minutos) y… *voila!* Ya tienes listas las verduras al vapor, el arroz basmati, la quinoa y la base de la crema de verduras. Y así las verduras quedan al dente.
10. Para hacer la crema de calabacín, puerros, coliflor y brócoli al curry, sólo tienes que triturar estas 4 verduras con el caldo que se habrá generado durante la cocción, con un poco de sal marina, curry en polvo y aceite de oliva virgen extra.

¿Y cómo hago las verduras al horno?

1. Hazte con 2 fuentes de horno distintas, una más pequeña que la otra.
2. En la más pequeña, pon la calabaza en dados, añade orégano, sal marina, pimienta negra y aceite de oliva. Mezcla bien.
3. En la más grande, trocea zanahoria, remolacha, puerros y boniato, añade zatar, sal marina, pimienta negra y aceite de oliva. Mezcla bien.
4. Hornea durante 90 minutos a 180 °C.

E igualmente, tu cena puede ser:

Barquitas de endibias	rellenas de zanahoria, remolacha, puerros y boniato al horno al aroma de zatar	coronadas con huevo cocido picado y aliño de tahini triturado con agua y zumo de limón
Garbanzos	salteados con espinacas en aceite de coco con comino	con calabaza al horno con orégano y coliflor al vapor
Crema de calabacín, brócoli, coliflor y puerros al curry	con tropezones de tempeh salteado en ghee	
Paté de tofu	brócoli al vapor con limón y aceite de oliva	con bastoncitos de zanahoria y apio

Puedes variar cada día tus comidas y cenas.

Para conseguir esto sólo tienes que cocer los huevos. Y ¡anda! Resulta que ya lo hemos hecho.

Puedes comprar un bote de garbanzos cocidos, tofu y tempeh.

Los garbanzos se saltean con las espinacas sobre la marcha.

Igual que el tempeh salteado en ghee.

Y lo mismo para el paté de tofu, brócoli al vapor, limón y aceite de oliva, se prepara sobre la marcha con la batidora BioChef o similar cuando se vaya a consumir.

Recapitulando...

Tareas necesarias de prep meals o batch cooking

- ✎ Lavar y embolsar las verduras... salvo que las compres ya preparadas en bolsas.
- ✎ Preparar el *porridge*.
- ✎ Cocinar 2 raciones de quinoa a la vez que 2 raciones de arroz basmati integral, las verduras para la crema, las verduras al vapor y los huevos cocidos.
- ✎ Cocinar la calabaza al horno con orégano a la vez que las verduras (zanahoria, remolacha, puerros y boniato) al aroma de zatar.

Lo que necesitas tener comprado

- ✎ Ingredientes de fondo de despensa: Leche de avena, copos de avena, un bote de garbanzos cocidos, tofu, tempeh y todos los condimentos (sal, cúrcuma, pimienta negra, zatar, curry, orégano, aceite de oliva, aceite de coco, ghee, mostaza, miel, tahini...).
- ✎ Ingredientes frescos: Frutas, hojas verdes para ensalada, verduras para vapor, crema y horno, huevos).
- ✎ Puedes comprar pan ecológico e integral, de preferencia sin gluten.
- ✎ Lo mismo con el bizcocho de nueces.

Lo que se prepara sobre la marcha

- ✎ El batido de manzana y pera se prepara sobre la marcha (aunque también podrías tener ya las manzanas y las peras cortadas en trozos y dispuestas en una bolsa de plástico alimentario en la nevera).
- ✎ Las hortalizas que se consumen en crudo (tomates, rabanitos, etc.) se pican sobre la marcha.
- ✎ Los garbanzos se saltean con las espinacas sobre la marcha.
- ✎ Igual que el tempeh salteado en ghee.
- ✎ Y lo mismo para el paté (de tofu, brócoli al vapor, limón y aceite de oliva) o el aliño (de mostaza y miel), se preparan sobre la marcha cuando se vaya a consumir.

Utensilios

- Una bolsa de conservación de verduras en la nevera Vejibag.
- Una cacerola para hacer el *porridge* y para calentar la leche de avena.
- Centrifugador de ensaladas.
- Papel de cocina o servilletas.
- Bolsas de plástico alimentario con cierre de zip.
- Una olla grande para cocinar al vapor, del estilo del «vitalizador» de Codis Verd.
- 2 bolsas para hacer leches vegetales que utilizaremos para cocer los cereales.
- Un horno.
- 2 recipientes aptos para horno, una más grande y otro más pequeño.
- Una batidora para hacer los batidos, la crema de verduras, los patés y los aliños, del estilo de la BioChef o Vitamix.
- Una sartén para los salteados.
- Utensilios de madera o de silicona para remover.
- Táperes de cristal, botellas y botes de cristal con cierre de palanca de diferentes tamaños (Ikea) para conservar las preparaciones en el frigorífico.

Menú resultante

	Día 1	Día 2	Día 3	Día 4
Desayuno	*Porridge* de copos de avena cocidos en leche de avena con manzana y pera en dados, y semillas de calabaza.	Batido de manzana y pera con leche de avena, pan sin gluten con aguacate.	Leche de avena caliente, bizcocho con nueces.	Pan con tahini y rodajas de manzana y pera.
Comida	Quinoa con calabaza al horno con orégano y ensalada de rúcula, aceitunas negras y tomate seco.	Crema de calabacín, brócoli, coliflor y puerros al curry con quinoa migada y ensalada de rúcula, tomates cherry y rabanitos con vinagreta de mostaza.	Ensalada templada de arroz basmati, mézclum y verduras al horno (zanahoria, remolacha, puerros, boniato) al aroma de zatar con aliño de mostaza y miel.	Arroz basmati con brócoli y coliflor al vapor, aliñados con aceite de oliva con cúrcuma y pimienta negra.
Cena	Barquitas de endibias rellenas de zanahoria, remolacha, puerros y boniato al horno al aroma de zatar coronadas con huevo cocido picado y aliño de tahini mezclado con agua y zumo de limón.	Garbanzos salteados con espinacas en aceite de coco con comino, con calabaza al horno con orégano y coliflor al vapor.	Crema de calabacín, brócoli, coliflor y puerros al curry con tropezones de tempeh salteado en ghee.	Paté de tofu, brócoli al vapor, limón y aceite de oliva con bastoncitos de zanahoria y apio.

Como verás, el anterior es un menú para 4 días supercreativo, que parece de fiesta, pero que habrás preparado en tan sólo 3-4 horas.

Plantéatelo como un acto de amor hacia ti mismo. Disfrútalo. Puedes escuchar a la vez un audiolibro o alguna conferencia que te inspire y aprovecharás aún más el tiempo. Mejor si es en inglés.

Y, además, si vas al trabajo, puedes colocar los ingredientes en un bote de cristal ancho, con tapa idealmente de cierre de palanca. Hay uno en Ikea que a mí personalmente me encanta, que tiene 11 cm de diámetro y capacidad para 0,5 litros. Se llama Korken y su precio es de menos de 2 euros.

Ya sabes, en la vida sólo hay excusas o resultados. Si quieres ser una mejor versión de ti mismo, sólo necesitas organización. Y ¡manos a la obra!

Y si lo que te gusta es el brunch...

Con todo lo que tienes ya preparado puedes organizar en un momento un super nutritivo brunch con huevos escalfados o a la plancha, aguacate, espinacas salteadas con piñones y una superinfusión como las que veremos en el apartado «Superinfusiones» de la pág. 95.

Querida Morenini..., tus recetas son muy raras

España es el país del primer y segundo plato. Ah, y del postre. Recuerdo que, en un curso presencial sobre batch cooking, un chico y una chica sentados en primera fila movían la cabeza contrariados.

No eran veganos, vegetarianos y ni siquiera flexivegetarianos.

Ni pensaban serlo.

No habían oído hablar nunca de algunos ingredientes como la quinoa, la cúrcuma o el té matcha.

No sabían lo que era el hummus.

No sabían lo que era el mézclum.

Cuando propuse la siguiente receta, como resultado de la mezcla de varias preparaciones previas de batch cooking, ya no pudieron aguantar más:

Morenini: Ensalada templada de arroz basmati, mézclum y verduras al horno (zanahoria, remolacha, puerros, boniato) al aroma de zatar con aliño de mostaza y miel.

Alumnos: Morenini, tus recetas son muy raras.

Morenini: ¿Qué es lo que te parece raro?

Alumnos: Bueno..., ¡todo! Verás... Una ensalada templada... ¡no sé lo que es! No sé lo que es el mézclum. No sé lo que es el zatar. Ese aliño de mostaza y miel no lo he oído en mi vida... En casa comemos primero, segundo y postre. Nunca podría comer lo que tú propones.

Morenini: Bien. Todo tiene solución. Vamos a reconvertir la receta, que tan extravagante parece, a algo más habitual en vuestro día a día. Mi receta es: ensalada templada de arroz basmati, mézclum y verduras al horno (zanahoria, remolacha, puerros, boniato) al aroma de zatar con aliño de mostaza y miel.

Vamos a ver si ésta podría ser la vuestra: de primer plato, ensalada de mézclum (o mesclun) aliñada con mostaza y miel. El mézclum es una mezcla de hojas verdes jóvenes, como por ejemplo las espinacas baby, rúcula, endibias, escarola... Se puede aliñar con una combinación de aceite de oliva, mostaza, miel y sal marina. Queda delicioso.

De segundo plato: verduras al horno (zanahoria, remolacha, puerros y boniato) preparadas con sal marina, aceite de oliva y una mezcla de especias jordana, que se llama zatar, que puede contener una o varias de las siguientes especias junto con sésamo molido: orégano, tomillo, comino, mejorana... Si no tienes zatar, usa por ejemplo sólo orégano, junto con la sal marina y el aceite de oliva.

Acompaña las verduras con arroz basmati.

De postre puedes tomar una infusión. Si tienes mucha hambre, la manzana en compota, idealmente calentita, es la mejor solución para tu digestión.

Ahora parece que hemos reconvertido mi receta al sistema tradicional español.

Alumnos: Ufff, menos mal, ahora ya no parece tan rara.

Morenini: Son maneras de presentar los mismos ingredientes. Es la misma receta, desglosada de una manera diferente. A mí me gusta más la manera en que la ofrezco. Sin embargo, un paladar habituado a la manera tradicional en que se come en España prefiere otras maneras.

Para seguir practicando, vamos a reconvertir otra de mis recetas al sistema tradicional: crema de calabacín, brócoli, coliflor y puerros al curry con tropezones de tempeh salteado en ghee.

Que convertida a vuestra receta quedaría así: primer plato, crema de calabacín, brócoli, coliflor y puerros al curry. Se trata de hacer una crema de verduras añadiendo un poquito de curry mientras se cocina.

Segundo plato, tempeh salteado. El tempeh es un alimento fermentado a base de soja o de guisantes, por lo tanto, rico en proteínas. Se calienta salteándolo ligeramente en aceite de oliva, de coco o en ghee, que es mantequilla clarificada, una grasa saludable que nos llega desde la India y que se recomienda desde la medicina ayurveda. Cocinar con ghee, por tanto, constituye un aporte medicinal para nuestro bienestar. Si te parece muy raro o poco accesible, utiliza aceite de oliva.

De este modo, y si lo deseas, podrás reconvertir las recetas Morenini al sistema tradicional. No hay excusas para no seguir adelante con el batch cooking. Aunque Morenini te las propone de un modo más creativo y prescindiendo de la esclavitud del primer y segundo plato, si tú prefieres comer como siempre se ha hecho, no es necesario que cambies nada para poder seguir adelante con la estructura propuesta para tu batch cooking.

¿Y qué haces con las sobras?

Puedes inventar infinitos platos combinados con lo que vaya sobrando, añadiendo algo que tengas en tu fondo de despensa, como por ejemplo un aguacate, unas algas, unas semillas…

¿Y qué pasa con los demás días de la semana?

Bien. Buena pregunta. Veo que has prestado atención.

Efectivamente, la semana son 7 días y aquí sólo aparecen 4. ¿Por qué?

- Porque puedes seguir repitiendo el menú.
- Porque puedes inventar tú nuevas combinaciones.
- Porque es posible que no siempre comas y cenes en casa.
- Porque quizá no siempre tengas hambre.
- Porque no está de más sustituir una comida o cena por fruta a discreción.

- Porque quizá te sobren ingredientes y con ellos puedas preparar albóndigas o hamburguesas si los mezclas con mijo cocido y añades un poco de sal marina.
- Porque quizá sólo te apetezca comer una rebanada de pan con aguacate y huevo cocido.
- Quizá puedas triturar verdura que te sobre con caldo de verduras (existe uno ecológico de la marca Aneto que me encanta) y obtener así una deliciosa crema de verduras al momento.
- Porque, en cualquier caso, no queremos tirar comida.
- Y, sobre todo, porque ahora te toca a ti.

Cocinar, hoy por hoy, no lo puedo hacer por ti. Todo lo demás, lo tienes aquí. ¡Ánimo! ¡Ponte manos a la obra! Ya sabes que el conocimiento no cambia el comportamiento. Diseña tu propio batch cooking en función de tus ingredientes preferidos, tu estilo a la hora de comer, los días que estás en casa y los que no… Aquí tienes un ejemplo, ahora es el turno de que lo adaptes a ti.

Cómo calentar los granos y las verduras ya cocinados sin microondas

Opción 1	Opción 2	Opción 3	Opción 4
Pon un dedo de caldo de cebolla o de verduras o de agua (en este caso es posible que haya que rectificar de sal) en la olla. Añade los granos o verduras, calienta 2 minutos al máximo y listo.	Llena de agua el depósito del vitalizador y enciende el fuego al máximo. Pon en la rejilla el táper o recipiente de cristal, que puede estar destapado. Tapa el vitalizador. Espera un poco mientras preparas la mesa.	Al baño María, introduciendo en el agua hirviendo el táper o recipiente de cristal bien tapado.	Si se trata de unas verduras horneadas, hornéalas directamente en recipientes de cristal del tamaño de una ración. Para calentarlas, puedes introducirlas al horno en los mismos recipientes y cascar encima un huevo, que se cocinará a la vez que las verduras se calientan. ¡Una cena ideal!

Conservación y etiquetado

Recomiendo los botes de cristal de Ikea Korken con cierre de palanca. La etiqueta debe incluir el contenido siguiente:

Leyenda de etiquetado	Ejemplo
Qué es (título) Qué contiene (ingredientes) Cuándo se ha preparado Caducidad estimada	Aliño de zanahoria y tahini (Zanahoria, tahini, limón, sal marina, agua de mar) 3 de octubre de 2019 10 de octubre de 2019

¡Ahora te toca a ti... No te saltes este capítulo

Preparaciones necesarias para los desayunos

Fruta idónea para desayunar	Grano idóneo para desayunar	Proteína idónea para desayunar
Cualquier fruta neutra	Cereales de preferencia sin gluten Pseudocereales	Aguacate Semillas Cremas de semillas (tahini) Frutos secos Cremas de frutos secos (pasta de almendras...) Huevos ecológicos Yogur o kéfir Quesos frescos o de untar (minimizar) Embutido (no lo recomiendo)

Grano para desayuno	Proteína para desayuno
1.	1. ....
2.	2. ....
3.	3. ....
4.	4. ....

Cómo serán mis desayunos - Recuerda las opciones de 75 % fruta-25 % grano o 100 % fruta.

Desayuno 1: ....
....

Desayuno 2: ....
....

Desayuno 3: ....
....

Desayuno 4: ....
....

¿Qué tengo que hacer para cocinarlo todo a la vez?:

1. ....

....

2. ....

....

3. ....

....

Preparaciones necesarias para las comidas y las cenas

Verdura idónea para comer	Hidrato de carbono idóneo para comer
Cualquier hortaliza cruda Verduras cocinadas (vapor, horno, salteadas) Cremas de verduras	**Granos** Cereales de preferencia sin gluten Pseudocereales **Féculas** Patatas, boniato o batata

Verdura idónea para cenar	Proteína idónea para cenar
Cualquier hortaliza cruda (omitir en caso de que cueste mucho digerir los crudos de noche) Verduras cocinadas (vapor, horno, salteadas) Cremas de verduras	Semillas Frutos secos Legumbres cocidas Tempeh Tofu Huevos ecológicos Yogur o kéfir Quesos frescos o de untar Pescado Marisco Carne o embutido (no lo recomiendo)

2 preparaciones de grano para la comida	4 preparaciones de verdura cruda	4 preparaciones de verdura cocinada	4 preparaciones de proteína (podrían ser 2 dobles) para la cena
1.	1.	1.	1. ....
2.	2.	2.	2. ....
	3.	3.	3. ....
	4.	4.	4. ....

¿Cómo serán mis comidas?

....

....

....

¿Cómo serán mis cenas?

....

....

....

¿Qué tengo que hacer para cocinarlo todo a la vez?:

1. ....

....

2. ....

....

3. ....

....

4. ....

....

5. ....

....

6. ....

....

7. ....

....

Lista de la compra

Hidratos	Legumbres	Semillas	Frutos secos	Grasas saludables	Especias y condimentos	Conservas en cristal	Fruta	Verdura	Huevos Pescado

Menú resultante

	Día 1	Día 2	Día 3	Día 4
Desayuno				
Comida				
Cena				

El día a día sin batch cooking

La teoría Morenini de los 2 cuencos

Siguiendo a Harvard, no consideramos la opción de ingesta de carne roja, queso o embutidos, por lo que un menú vegetariano o flexivegetariano saludable para un día puede confeccionarse sobre la base de la siguiente «teoría de los 2 cuencos de Ana Moreno». Veamos en qué consiste...

Desayuno

El desayuno ni es obligatorio ni tiene por qué ser la comida más copiosa del día. No tiene por qué hacerse a las 8 de la mañana, puede ser a las 11 h o a las 12 h. Todo depende de cada uno.

Desayuno cuenco 1: Uno de los dos cuencos puede ser un líquido, que dependiendo del hambre puede ser:

- INVIERNO: Un tazón de leche vegetal caliente con cacao, café de cereales o té matcha.
- VERANO: Un zumo de verduras y frutas, un batido de frutas con semillas de lino o chía o un batido de frutas con hierbas aromáticas como albahaca, menta o perejil.

Desayuno cuenco 2: El otro cuenco puede estar compuesto por fruta de la estación picada o batida sobre semillas chía previamente hidratadas en leche vegetal.

Comida

Comida cuenco 1:

- INVIERNO: Crema de verduras cocinada con una verdura a elegir y un poco de cebolla o puerro. Se pueden añadir semillas o frutos secos como tropezones una vez preparada la crema: de lino, de girasol, de calabaza, de sésamo...
- VERANO: Ensalada de hortalizas crudas y hojas verdes, como endibias, escarola, lechuga, rúcula, canónigos, espinacas, espárragos, rabanitos, tomate, cebolla, pepino, zanahoria, apio... Se pueden añadir semillas o frutos secos si se desea: de lino, de girasol, de calabaza, de sésamo... o sus cremas, como tahini, pasta de almendras, etc.

Comida cuenco 2: Verduras al vapor, salteadas o al horno con hierbas y condimentos.

A elegir entre las diferentes verduras, yo prefiero centrarme cada día en una sola verdura, porque así las comidas son más variadas: un día alcachofas, otro hinojo, otro berenjenas, otro puerros, otro crucíferas como col, coliflor, brócoli, lombarda, coles de Bruselas, otro día calabacín, otro calabaza, otro zanahoria, otro setas, otro champiñones, otro espárragos, otro verduras de hoja como acelgas, kale, berza...

Pon la cantidad que desees (hasta llenar el cuenco) de grano integral cocido, que pueden ser cereales sin gluten, como arroz integral, arroz rojo, arroz basmati...; o pseudocereales, como mijo, quinoa, trigo sarraceno, amaranto... eligiendo siempre sólo de una a tres verduras y sólo uno de entre los cereales o pseudocereales mencionados.

Cena[3]

Se realizará igual que la comida, pero en el cuenco 2, en lugar de añadir cereales sin gluten o pseudocereales, se añadirán proteínas vegetales:

- VEGANOS: Lentejas dhal, lentejas rojas, garbanzos dhal, garbanzos, tempeh...
- VEGETARIANOS: Huevo cocido o en tortilla.
- FLEXIVEGETARIANOS: Pescado azul a la plancha o al horno.
- Si se tiene hambre entre el desayuno y la comida, se puede tomar una fruta, o uno o dos dátiles con una nuez o una almendra dentro.
- Si se tiene hambre entre la comida y la cena, se puede merendar una fruta o unos crudités de zanahoria, calabacín, apio, endibias, pepino o pimiento con algún paté vegetal, que prepararemos con garbanzos, lentejas, azuki y aguacate o frutos secos o semillas y aceite de oliva.

El siguiente menú contiene todos los nutrientes que se necesitan en las proporciones que recomienda Harvard.

Si se prefiere comer todos los alimentos mezclados, basta con volcar los cuencos sobre un mismo cuenco o plato hondo en el que quepan los dos. El sistema de los cuencos nos ayuda a moderar y equilibrar las cantidades y ésa es la principal razón por la que se emplean. Si no te gusta comer en cuenco, puedes hacerlo en platos.

No es viable el cálculo de la inversión económica por plato dado que desconocemos el tamaño del cuenco de cada uno, el país e incluso las tiendas o mercados en los que compra, o si se eligen o no alimentos ecológicos. En cualquier caso, no parece ser un coste excesivo porque se incluyen alimentos frescos de consumo básico, que pueden encontrarse en cualquier lugar.

3. El tamaño de ambos cuencos será el mismo, y el tamaño de cada cuenco será el deseado, ya que, respetando los porcentajes de Harvard, cada uno ha de comer según sus necesidades, lo cual no puede determinarse aquí.

Invierno	Día ejemplo 1 para un vegano	Día ejemplo 2 para un vegetariano	Día ejemplo 3 para un flexivegetariano
Desayuno cuenco 1	Leche de almendras con cacao en polvo y melaza de arroz integral	Batido de frutos rojos con leche de coco y un dátil	Zumo de naranja, pomelo y granada
Desayuno cuenco 2	Chía remojada en leche de coco con manzana	Compota de manzana y pera con semillas de lino	Yogur de coco con arándanos y sirope de agave
Comida cuenco 1	Crema de espárragos trigueros	Crema de coliflor con semillas de sésamo	Crema de zanahoria con semillas de calabaza
Comida cuenco 2	Calabaza al horno con arroz rojo	Cuscús de quinoa	Brócoli salteado con mijo
Merienda	Endibias con hummus de garbanzos	Palitos de zanahoria con pesto vegano	Guacamole con nachos
Cena cuenco 1	Sopa de miso	Crema de calabacín	Crema de champiñones
Cena cuenco 2	Guiso de shiitake con lentejas rojas	Tortilla de brócoli	Ensalada de ventresca con cebolla y pimientos

Verano	Día ejemplo 1 para un vegano	Día ejemplo 2 para un vegetariano	Día ejemplo 3 para un flexivegetariano
Desayuno cuenco 1	Batido de pepino, fresas y apio	Batido de sandía	Batido de melón con perejil
Desayuno cuenco 2	Pudin de chía remojada en leche de coco con trocitos de mango	Pudin de chía con puré de albaricoque	Yogur de coco con higos
Comida cuenco 1	Ensalada de tomate con albahaca	Ensalada campera con patata cocida	Tabulé de trigo sarraceno
Comida cuenco 2	Berenjenas al horno con quinoa	Espinacas a la catalana	Igual que el cuenco 1
Merienda	Cerezas	Ciruelas	Papaya
Cena cuenco 1	Ensalada de espinacas y rabanitos	Ensalada de lechuga, tomate, cebolla y aceitunas	Ensalada mixta con atún y huevo
Cena cuenco 2	Calabacín salteado con lentejas rojas	Tortilla de berenjenas	Igual que el cuenco 1

Fondo
de despensa

Fondo de despensa del supermercado con caducidad elevada (más de un mes)

- Granos de cereales y pseudocereales
- Harinas de cereales, de legumbres, de frutos secos, de coco
- Legumbres
- Frutos secos
- Semillas
- Mantequillas de frutos secos y semillas
- Fruta desecada
- Aceites
- Vinagres
- Salsas como mostaza, tabasco
- Especias
- Hierbas secas

Fondo de frigorífico del súper con caducidad corta (de 4 a 5 días)

- Verduras
- Hortalizas
- Ensaladas
- Aguacates
- Hierbas aromáticas
- Huevos
- Fruta
- Queso
- Pescado (máx. 2 días)
- Carne (máx. 2 días)

Fondo de despensa casero con mix de especias con caducidad elevada (más de un mes)

- Comino
- Pimienta
- Zatar
- Canela
- Cúrcuma
- Matcha
- Cayena
- Orégano
- Romero
- Tomillo

Superbebidas frías y calientes

Para preparar superbebidas frías o calientes, cuyas recetas verás en el apartado de recetas, también es bastante práctico el batch cooking.

Por ejemplo, para tomar un batido cremoso de cúrcuma, conocido como leche dorada o *golden milk,* o una falsa y cremosa leche-no-de-vaca calentita con té matcha.

Si mezclas en un tarro en la nevera crema de coco con crema de sésamo, azúcar de coco, cúrcuma, canela y una pizca de pimienta, cuando quieras preparar tu *golden milk,* sólo necesitarás añadir agua fría o caliente y triturar bien. Puedes utilizar una batidora de brazo de toda la vida, pero lo más práctico es utilizar la Magic Bullet, la Bingo Juicer, la Nutri Bullet o alguna de éstas, porque son muy sencillas de utilizar e incluso de transportar, así como de lavar.

Y, por ejemplo, para preparar un chai *latte*, puedes mezclar y mantener en un bote en la nevera crema de coco, crema de almendras y jengibre, canela, vainilla, cardamomo y clavo de olor en polvo. De nuevo, sólo necesitarás añadir agua fría o caliente y triturar bien.

Para un ¿matcha *latte*? Pues lo mismo con crema de coco, crema de almendras, azúcar de coco y té matcha en polvo.

Para un inmune *booster,* mezcla crema de coco, tahini, zumo de limón, polen, ajo y jengibre fresco, miel cruda –idealmente miel de manuka–, canela y cayena.

Para mantener el índice glucémico a raya, el superblue ayurvédico, con espirulina azul, ashwaganda, polen, reishi, crema de coco y crema de almendras.

Para un superdétox, mezcla limón, cúrcuma, jengibre fresco, cayena, sirope de arce.

Para los días en que te quieres dar un gustazo lujurioso con chocolate y maca, el choco-gorgeus con crema de coco y crema de almendras, mezcladas con cacao en polvo, maca, canela y miel cruda, idealmente miel de manuka.

A mí me encantan todos bien calientes, pero también los puedes tomar fríos en verano. Puedes añadir agua fría o caliente, pero también leche de coco o leche de almendras. Obtendrás una bebida muy reconfortante en un minuto. Y lo mejor de todo, estos botecitos de cristal bien cerrados en la nevera tienen una caducidad de meses.

Platos de cuchara

Cuando veas más adelante las recetas de los platos de cuchara, verás que llevan especias, especialmente el kitcheree, que lleva una mezcla bastante variada de especias curativas y llenas de sabor. Dichas especias pueden estar ya mezcladas y preparadas en un tarro, de manera que cuando vayas a cocinar, tengas todo listo, simplemente necesitarás añadir una cucharada sopera de las especias ya mezcladas y conservadas herméticamente en tu tarro de cristal, y saltearlas en aceite de oliva o de coco.

Horneados

Lo mismo pasa con las especias y condimentos que utilizamos para hornear verduras. Puedes tenerlas ya mezcladas y preparadas en tarros herméticos de cristal. Incluso en muchas ocasiones puedes usar la misma mezcla de especias para preparar verduras al horno, por ejemplo cúrcuma y pimienta negra, que para verduras al vapor o para platos de cuchara.

Preparaciones caseras para el frigo, caducidad elevada (un mes)

Fermentados

Estos tres son aliados excepcionales para vivir dentro de tu nevera y formar parte del fondo de despensa refrigerado que todo buen amante del «batchcooking» debe tener. ¿Cómo incorporar el chucrut, el veggiecrut y el kimchi dentro de nuestro batch cooking?

El kimchi se usará como el Avecrem, pero en su versión saludable, es decir, como condimento para otros platos, como sopas, guisos, patés… Eso sí, recuerda añadirlo siempre al final de la cocción, pues ya sabes que todos los fermentados pierden sus propiedades probióticas (no así las demás; salvo la vitamina C y algunas enzimas), cuando se calientan a más de 41 °C.

Chutney

Para tomar sobre crackers y junto a queso de semillas.

Cremas de frutos secos

Para tomar con crudités y como base para preparar leche instantánea.

Quesos crudiveganos curados

Más adelante veremos cómo hacerlos. Van muy bien en ensalada o con crackers de semillas.

Dulces crudiveganos

Los dulces crudiveganos, si no están hechos con fruta fresca, duran siglos en el frigorífico. Es imprescindible tener preparado un batch cooking de dulces crudiveganos para tener un recurso sano disponible para echar mano de él en los momentos en que nos apetece mucho comer dulce. Así evitamos lanzarnos a comer algo que no queremos y que nos va a sentar mal.

Crackers de semillas

Tampoco caducan. Tendrás pan sano y delicioso, sin gluten, crujiente y riquísimo, listo para untar en él cualquiera de las otras preparaciones.

Preparaciones caseras para el frigo con caducidad media (de 7 a 10 días)

Salsas y aliños

Una verdura al vapor, una ensalada, un grano cocido…, cualquier alimento con una salsa y aliño mejora absolutamente en tu paladar. Las salsas y aliños, salvo que añadas ingredientes crudos, se conservan indefinidamente en la nevera. Si añades algo crudo, como por ejemplo perejil, aguantan hasta una semana. Son una gran idea.

Patés y hummus

Son recursos ideales para almacenar en la nevera porque sacian el hambre más voraz sin tener que ponerte a preparar nada. Es como si te abrieras una lata de sardinas o sacaras la cajita del embutido. Sólo necesitas tener listos tus patés y hummus para untarlos bien sobre crackers, pan, o sobre hojas de lechuga, endibias, mojar en ellos zanahorias…

Quesos crudiveganos para untar

Te dan exactamente el mismo resultado que los patés y hummus, pero además, aligerados en un poco de agua, puedes convertirlos en salsas para aliñar verduras. El queso crudivegano para untar es uno de mis tentempiés preferidos.

Bizcochos veganos

En el recetario verás una receta llave para hacer diferentes bizcochos veganos. Hoy en día venden bizcochos muy buenos, ecológicos, sin gluten, veganos..., pero el placer de hacerlo tú en casa, incluso con niños pequeños o con amigos, no te lo puedes perder.

Panes

Igual que con los bizcochos, te ofrezco una receta llave para hacer todo tipo de panes. Una receta sencillísima, limpia y que siempre sale bien. Llevo enseñándola años y todos mis alumnos alucinan con el resultado. Los panes que te propongo se pueden cortar en rebanadas y congelar, de manera que cuando quieras comer pan, sólo tienes que tostar la rebanada que quieras comer y listo. Y si eres de las personas a quienes no les gusta congelar, no te preocupes, porque este pan dura en la nevera hasta una semana.

Preparaciones caseras para el frigo con caducidad corta (de 4 a 5 días)

Más adelante encontrarás las recetas ideales para el batch cooking semanal, la mayoría no deben faltar en él.

- *Porridge* para el desayuno
- Platos de cuchara
- Ensaladas de legumbres
- Verdura al vapor
- Horneados
- Compotas
- Los dulces crudiveganos que llevan fruta fresca

Recetas

Superbebidas frías y calientes

Ingredientes frescos necesarios para las superbebidas frías y calientes

- Ajo
- Jengibre
- Limón

Mix de especias y superalimentos para superbebidas frías y calientes

- Jengibre fresco
- Ajo fresco
- Cilantro
- Pimienta negra
- Cayena
- Canela en rama
- Canela molida
- Comino
- Anís
- Nuez moscada
- Cardamomo
- Polen
- Maca
- Té matcha
- Miel cruda
- Miel de manuka
- Chyawanprash
- Sirope de arce
- Agua de mar
- Agua de coco

Ingredientes cremosos para superbebidas frías y calientes

- Leche de coco
- Aceite de coco
- Crema de coco
- Tahini
- Crema de macadamia
- Crema de almendras

Supercremosos

Mezcla todos los ingredientes en un tarro en la nevera.

Cuando quieras preparar tu superbebida sólo necesitarás añadir agua fría o caliente y triturar bien. También puedes añadir leche de coco o leche de almendras para un resultado ultracremoso.

Puedes utilizar una batidora de brazo de toda la vida, pero lo más práctico es utilizar la Magic Bullet, la Bingo Juicer, la Nutri Bullet o alguna de éstas, porque son muy sencillas de utilizar e incluso de transportar, así como de lavar.

Golden milk

5 c. s. de crema de coco
5 c. s. de crema de sésamo
1 c. s. de azúcar de coco
1 c. s. de cúrcuma en polvo
1 c. s. de canela en polvo
¼ c. c. de pimenta negra
½ c. c. de sal del Himalaya

Chai latte

5 c. s. de crema de coco
5 c. s. de crema de almendras
1 c. s. de jengibre en polvo
1 c. s. de canela en polvo
½ c. c. de cardamomo verde molido
¼ c. c. de clavo de olor en polvo

Choco-gorgeus

5 c. s. de crema de coco
5 c. s. de crema de almendras
1 c. s. de cacao en polvo
1 c. s. de maca en polvo
1 c. s. de canela en polvo
1 c. s. de miel cruda, idealmente miel de manuka

Matcha latte

5 c. s. de crema de coco
5 c. s. de crema de almendras
1 c. s. de azúcar de coco
1 c. s. de té matcha en polvo

Inmune booster

5 c. s. de crema de coco
5 c. s. de tahini
1 c. s. de polen
¼ de diente de ajo fresco
½ cm de jengibre fresco
1 c. s. de miel cruda, idealmente miel de manuka
1 c. s. de canela en polvo
¼ c. c. de cayena molida

Superblue ayurvédico

5 c. s. de crema de coco
5 c. s. de crema de almendras
1 c. s. de chyawanprash
½ c. s. de espirulina azul
½ c. s. de ashwaganda
½ c. s. de polen
½ c. s. de reishi

Superdétox

1 c. s. de zumo de limón
5 c. s. de cúrcuma en polvo
½ diente de ajo fresco
½ cm de jengibre fresco
¼ c. c. de cayena molida
1 c. c. de miel cruda, idealmente miel de manuka

Superinfusiones

Y si lo que te apetece es tener una infusión preparada e ir bebiéndola durante el día, puedes preparar las siguientes infusiones en una cacerola grande con capacidad para 2-3 litros de agua, con tapa, para que conserve el calor. Aunque puedes también consumirlas frías o del tiempo.

Maten la infusión a temperatura ambiente. Para consumirla, puedes calentar y recalentar la infusión, añadiendo más agua cada vez si es preciso, hasta un máximo de 3 días, sin necesidad de sustituir ni añadir ningún ingrediente. Después de los 3 días desecha la infusión.

Estas infusiones pueden acompañar la comida, especialmente si tus digestiones son difíciles.

UTENSILIOS

- Una cacerola grande con tapa

N.º DE RACIONES

- Según el tamaño de la cacerola, varias tazas

PROCEDIMIENTO

- Pica en trozos los ingredientes (sin pelar).
- Ponlos en la cacerola.
- Llena la cacerola de agua.
- Tápala.
- Hierve durante 5 minutos.
- Para consumir, colar lo que se vaya a beber y listo.
- Deja siempre los ingredientes con el agua en la cazuela por si hay que añadir más agua a medida que se va consumiendo. No es necesario reemplazar los ingredientes, pero vuelve a cocer 5 minutos cada vez que rellenes con agua.

Infusión de jengibre y canela

2 ramitas de canela
1 trozo de jengibre fresco del mismo tamaño que un dedo pulgar de una mano
2-3 litros de agua

Infusión de jengibre y piña

1 trozo de jengibre fresco del mismo tamaño que un dedo pulgar de una mano
Las cáscaras de una piña ecológica
2-3 litros de agua

Infusión détox

3 bolas de pimienta negra
1 cayena entera
1 semilla de cardamomo verde
1 hoja grande de albahaca
El zumo de 1 naranja
2-3 litros de agua

Infusión de primavera

1 trozo de jengibre fresco del mismo tamaño que un dedo pulgar de una mano
3 bolas de pimienta negra
½ c. c. de semillas de comino
½ c. c. de semillas de cilantro
½ c. c. de semillas de hinojo
2-3 litros de agua

Infusión de chai

2 ramitas de canela
1 trozo de jengibre fresco del mismo tamaño que un dedo pulgar de una mano
1 semilla de cardamomo verde
2 clavos de olor
1 c. c. de té negro o verde (opcional)
2-3 litros de agua

Infusión de manzana, pera y jengibre

1 trozo de jengibre fresco del mismo tamaño que un dedo pulgar de una mano
Las cáscaras y el corazón de una manzana y una pera ecológicas
2 clavos de olor
2-3 litros de agua

Batidos

Batidos verdes

A continuación te muestro la receta base para preparar los batidos verdes que tomamos en las depuraciones que hacemos en los fines de semana depurativos que organizo en el hotel rural La Fuente del Gato en Madrid.

UTENSILIOS

- Una jarra grande de Vitamix de 2 litros (obtienes alrededor de 1,750 l)

N.º DE RACIONES

- 7 vasos de 250 ml aproximadamente

INGREDIENTES

- 3 puñados grandes de hojas verdes
- De 2 a 3 piezas de fruta fresca
- 1 trozo de jengibre fresco sin pelar, como de 1 cm de lado
- 1 trozo de cúrcuma fresca sin pelar, como de 0,5 cm de lado
- 1 c. s. de semillas de chía, de lino o medio aguacate
- 1 c. c. de canela en polvo
- Un trozo de rama de aloe vera (pelada) o, en su defecto, un buen chorro de aloe vera embotellado (opcional)
- 50 ml de agua de mar (opcional)
- Agua de coco o agua filtrada hasta llenar la jarra

PROCEDIMIENTO

- Batir todo muy bien y beber durante la mañana.

CONSERVACIÓN

- Te aguanta todo un día en la nevera.

Batidos verdes de los «findes depurativos»

Aquí he querido recopilar las recetas de los batidos verdes que tomamos durante la semana depurativa que tiene lugar la 1.ª semana del Máster en Cocina Vegetariana presencial de la Escuela Ana Moreno. Batidos que también ofrecemos en los findes depurativos que tienen lugar cada mes en mi hotel rural, La Fuente del Gato, situado en un pequeño pueblo de 200 habitantes, Olmeda de las Fuentes, en Madrid.

Realiza cada día un mínimo de 4 tomas.

Nosotros tomamos batido verde Morenini Style para desayunar y a media mañana sin límite de cantidad. ¡Si queremos repetimos hasta 3 veces!

Para comer y cenar tomamos kitcheree o batidos verdes llamados «sopa energética», según la depuración que siga cada uno. También hasta estar saciados.

Aunque respetamos el *Hara hachi bu* de los japoneses, e intentamos levantarnos de la mesa dejando un cuarto de la capacidad estomacal sin llenar, entendemos que depurarse no es pasar hambre, sino comer de un determinado grupo de alimentos, preparados de un modo determinado y en cantidad suficiente.

Elige alimentos ecológicos, y aun tratándose de comida líquida, por favor, mastica bien.

Todas las recetas que te ofrezco están testadas y saben deliciosas. Dispón todos los ingredientes en cantidad similar (excepto los condimentos, de los que debes añadir sólo una pizca) en una jarra grande de una batidora potente, como la Vitamix. Llénala de agua o agua de coco hasta arriba y *voila!* Ya tienes el batido.

Para preparar tu batch cooking utiliza bolsas de plástico alimentario e introduce en ellas los ingredientes de cada batido. Puedes guardarla en la nevera o congelarla. Para prepararte el batido sólo tienes que añadir el agua filtrada o agua de coco y triturar a gran potencia.

Ideas para batidos verdes Morenini Style

Para una jarra de Vitamix de 2 litros

Se obtienen unos 1,750 l

Salen unos 7 vasos

Batido de pera, ciruela, mora y perejil

1 pera
1 ciruela
1 puñado de moras
Un manojo de perejil
Un trozo de jengibre de 1 cm
½ aguacate
Agua de coco hasta llenar la jarra

Batido de limón, perejil y cebollino

1 limón entero pelado
Un manojo de perejil
Cebollino al gusto
½ manojo de espinacas
Un trozo de jengibre de 1 cm
½ aguacate
Agua de coco hasta llenar la jarra

Batido de remolacha y apio

1 remolacha cruda
Un puñado de arándanos
Un manojo de hojas de apio
1 c. s. de chía
Un trozo de jengibre de 1 cm
Agua de coco hasta llenar la jarra

Batido de naranja y melocotón

1 naranja
1 melocotón
½ manojo de espinacas
1 c. s. de chía
Un trozo de jengibre de 1 cm
Agua de coco hasta llenar la jarra

Batido de espinaca, manzana y apio

½ manojo de espinacas
1 manzana
Un manojo de hojas de apio
1 c. c. de espirulina en polvo
Una pizca de comino en polvo
½ aguacate
Agua de coco hasta llenar la jarra

Batido de mandarina y moras

2 mandarinas
1 cajita de moras
½ manojo de espinacas
Un trozo de jengibre de 1 cm
½ aguacate
Agua de coco hasta llenar la jarra

Batido de mandarina y frambuesa

1 mandarina
Una cestita de frambuesas
1 c. s. de chía
Un trozo de lechuga
Un manojo de hojas de apio
Agua de coco hasta llenar la jarra

Batido de ciruela, albahaca y canela

1 ciruela
5 hojas de albahaca
½ lechuga
1 c. c. de espirulina en polvo
Un trozo de jengibre de 1 cm
1 c. c. de canela en polvo
½ aguacate
Agua de coco hasta llenar la jarra

Batido de kiwi y ciruela

1 kiwi
1 ciruela
½ lechuga
½ aguacate
Agua de coco hasta llenar la jarra

Batido de kiwi, ciruela seca y espinacas

1 kiwi
1 ciruela seca
Un manojo de espinacas
Un trozo de jengibre de 1 cm
½ aguacate
Agua de coco hasta llenar la jarra

Batido de mango y aguacate

1 mango
Un manojo de espinacas
Un trozo de jengibre de 1 cm
½ aguacate
Agua de coco hasta llenar la jarra

Batido de arándanos y espinacas

1 cestita de arándanos
Un manojo de espinacas
Un trozo de jengibre de 1 cm
½ aguacate
Agua de coco hasta llenar la jarra

Batido de papaya y espinacas

½ papaya
Un manojo de espinacas
½ pepino
1 c. c. de espirulina
Un trozo de jengibre de 1 cm
½ aguacate
Agua de coco hasta llenar la jarra

Batido de fresas y leche de coco

300 g de fresas
400 ml de leche de coco
2 cucharadas soperas de semillas de lino
Un trozo de jengibre de 1 cm
Agua de coco hasta llenar la jarra

Batido de chía, arándanos y hierbabuena

2 cucharadas soperas de semillas de chía
3 hojas de hierbabuena
2 cucharadas soperas de arándanos frescos
Un trozo de jengibre de 1 cm
Agua de coco hasta llenar la jarra

Batido de piña y hierbabuena

½ piña natural pelada pero con el centro
3 hojas de hierbabuena
1 limón entero pelado
Agua de coco hasta llenar la jarra

Batido de perejil, pera y aloe vera

1 rama de perejil
3 peras
1 limón entero pelado
1 c. s. de pulpa de aloe vera
Un trozo de jengibre de 1 cm
Agua de coco hasta llenar la jarra

Batido de pera y eneldo

2 peras
¼ de ramillete de eneldo
Un trozo de jengibre de 1 cm
Agua de coco hasta llenar la jarra

Batido de apio y mango

1 mango
4 ramas de apio
1 limón entero pelado
Un trozo de jengibre de 1 cm
Agua de coco hasta llenar la jarra

Batido de sandía con limón

1 sandía
1 limón entero pelado
2 cucharadas soperas de germinados
Agua de coco hasta llenar la jarra

Batido de manzana, perejil y arándanos

3 manzanas pink lady
1 cestita de arándanos
1 limón entero pelado
1 manojo de perejil fresco
Un trozo de jengibre de 1 cm
Agua de coco hasta llenar la jarra

Batido de sandía y hierbabuena

1 sandía pelada
1 limón entero pelado
2 cucharadas soperas de germinados
½ ramillete de hierbabuena
Un trozo de jengibre de 1 cm
Agua de coco hasta llenar la jarra

Batido de tomate y albahaca

1 tomate
Un manojo de hojas de apio
Un trozo de pimiento rojo
½ pepino
Unas hojas de albahaca
½ aguacate
Agua de coco hasta llenar la jarra

Batido de mango, manzana y perejil

2 mangos
1 manzana pink lady
2 manojos de perejil
1 c. s. de germinados
Un trozo de jengibre de 1 cm
Agua de coco hasta llenar la jarra

Batido de manzana y canela

2 manzanas fuji
1 lechuga romana
1 limón entero pelado
1 c. s. de germinados
½ c. c. de canela en polvo
½ c. c. de nuez moscada
Un trozo de jengibre de 1 cm
Agua de coco hasta llenar la jarra

Batido de perejil, naranja y mango

1 ramillete de perejil
1 c. s. de germinados
2 naranjas
1 limón entero pelado
1 mango
Un trozo de jengibre de 1 cm
Agua de coco hasta llenar la jarra

Batido de piña con agua de coco

1 piña pelada pero con el centro
Un trozo de jengibre de 1 cm
Agua de coco hasta llenar la jarra

Batido de melocotón, pera y aloe vera

2 melocotones
1 pera
1 c. s. de aloe vera
Un trozo de jengibre de 1 cm
Agua de coco hasta llenar la jarra

Batido de piña, mango y jengibre

1 piña pelada pero con el centro
1 mango
1 limón entero pelado
1 c. c. de espirulina en polvo
Un trozo de jengibre de 1 cm
Agua de coco hasta llenar la jarra

Batido de melón con lechuga romana

½ melón pelado y despepitado
½ lechuga romana
1 limón entero pelado
2 c. s. de germinados
1 c. c. de reishi en polvo
1 vaso de té verde helado
Agua de coco hasta llenar la jarra

Batido verde de melón, cúrcuma y canela

½ melón grande pelado y despepitado
1 limón entero pelado
½ c. c. de cúrcuma en polvo
½ c. c. de canela en polvo
Un trozo de jengibre de 1 cm
Agua de coco hasta llenar la jarra

Batido de melón y perejil

½ melón grande pelado y despepitado
½ ramillete de perejil fresco
Un trozo de jengibre de 1 cm
Agua de coco hasta llenar la jarra

Batido de mango, naranja y romero

1 mango
2 naranjas
1 limón entero pelado
Las hojas de 2 ramas de romero
Un trozo de jengibre de 1 cm
Agua de coco hasta llenar la jarra

Batido de manzana y kiwi

2 manzanas
2 kiwis
1 limón entero pelado
Un trozo de jengibre de 1 cm
Agua de coco hasta llenar la jarra

Batido de melocotón y menta

2 melocotones
1 limón entero pelado
10 hojas de menta fresca
Un trozo de jengibre de 1 cm
½ aguacate
Agua de coco hasta llenar la jarra

Batido de sandia y frambuesa

½ sandia pelada
1 cestita de frambuesas
½ lechuga
Un trozo de jengibre de 1 cm
1 aguacate
Agua de coco hasta llenar la jarra
Unas hojitas de menta

Batidos verdes llamados «sopa energética»

A continuación, te muestro la receta base para preparar los batidos verdes llamados «sopa energética» que tomamos en las depuraciones en La Fuente del Gato, con ingredientes para 1 persona.

RECETA BASE

INGREDIENTES

Germinados y verdes:

- 1 c. c. de germinados de alfalfa
- 1 c. c. de otros germinados a tu elección, por ejemplo, lentejas (cuidado con los germinados de sabor picante como rabanitos, porque pueden arruinarte la sopa, vía libre con germinados neutros como los de alfalfa o col lombarda)
- Un buen puñado de hojas de espinacas baby

Parte grasa:

- Medio aguacate o media c. c. de semillas de lino o chía

Fruta:

- Media manzana
- Media piña o papaya o mezcla de ellas

Otros (si no tienes alguno, puedes omitirlo):

- Media c. s. de chucrut o kimchi vegetariano sin pasteurizar (aunque se puede omitir, mejor *véanse* recetas a continuación)
- 1 limón entero pelado
- Una pizca de jengibre fresco
- Una pizca de cúrcuma fresca
- Medio diente de ajo fresco
- Verduras variadas como ¼ de calabacín, ½ zanahoria, un espárrago verde...

Para triturar todo:

- Un chorrito de agua de mar, de agua de coco o agua filtrada, hasta casi cubrir los ingredientes

- Bate todos los ingredientes hasta que quede una crema fina y agradable.

¡ **NOTA IMPORTANTE:** Esta sopa debe consumirse en el día, si se guarda para el día siguiente disminuyen sus propiedades. !

Para preparar tu batch cooking utiliza bolsas de plástico alimentario e introduce en ellas los ingredientes de cada batido. Puedes guardarlas en la nevera o congelarlas. Para prepararte el batido sólo tienes que añadir el agua filtrada o agua de coco y triturar a gran potencia.

Ideas para batidos verdes llamados «sopa energética» Morenini Style

Para una jarra de Vitamix de 2 litros
Se obtienen unos 1,750 l
Salen unos 7 vasos

Sopa energética de papaya

½ papaya
Un buen manojo de hojas de apio
1 c. s. de semillas de lino
1 c. s. de chucrut
1 c. s. de lentejas germinadas
1 limón entero pelado
1 zanahoria
Un trozo de jengibre de 1 cm
½ aguacate
Agua de coco hasta llenar la jarra

Sopa energética de espinacas y papaya

½ papaya
1 manzana
½ calabacín
Un manojo de espinacas
Un manojo de hojas de apio
1 c. s. de kimchi
1 c. s. de chía
½ pepino
1 limón entero pelado
Un trozo de jengibre de 1 cm
½ aguacate
Agua de coco hasta llenar la jarra

Sopa energética de manzana y piña

1 manzana
½ piña
1 zanahoria
2 espárragos verdes
Un manojo de espinacas
1 c. c. de canela
1 c. c. de espirulina en polvo
1 c. s. de chucrut
1 limón entero pelado
Un trozo de jengibre de 1 cm
½ aguacate
Agua de coco hasta llenar la jarra

Porridge para el desayuno

N.º DE RACIONES

- 2 raciones

INGREDIENTES

- 50 g de copos de avena, de preferencia sin gluten, o de copos de trigo sarraceno
- 250 ml de leche de avena, de almendras o de coco (la proporción es de 4 de leche x 1 de copos)
- 1 manzana en dados con su piel si es ecológica
- 1 pera en dados con su piel si es ecológica
- 1 c. s. de azúcar de coco o de sirope de arce
- 1 c. s. de nueces
- 1 c. s. de semillas de calabaza
- 1 c. c. de canela en polvo (opcional)

PROCEDIMIENTO

- Dispón en un cazo los 50 g de copos de avena y la leche.
- Calienta suavemente sin dejar de remover con una espátula de silicona o una cuchara de madera.
- Añade las frutas.
- El *porridge* está listo cuando tenga textura de papilla y las frutas estén al dente.
- En ese momento añade el azúcar de coco o el sirope de arce.
- Retíralo del fuego.
- En el momento de servir, añade las nueces y las semillas de calabaza.
- Puedes servirlo con canela por encima.

CONSERVACIÓN

- Si el *porridge* se guarda, se espesa. Para obtener una textura más ligera, calentarlo antes de tomarlo añadiendo más leche.

Platos de cuchara para el invierno

Cuando bajan las temperaturas apetece comer platos más calentitos, platos caldosos, de cuchara, que nos entonan y alegran el cuerpo en el período comprendido desde que acaba el verano hasta que comienza la primavera.

Mix de especias y superalimentos para platos de cuchara:

- Jengibre fresco
- Cúrcuma fresca
- Semillas de cilantro
- Pimienta negra molida
- Guindilla roja
- Canela en rama
- Comino en semilla
- Anís estrellado
- Anís en grano
- Hinojo
- Nuez moscada
- Curry
- Pimentón de la Vera
- Azafrán
- Asafétida
- Agua de mar
- Sal marina
- Ghee
- Aceite de coco
- Aceite de oliva virgen extra
- Alga kombu
- Vinagre de manzana sin filtrar

Casi todas las regiones de España tienen un plato de cuchara tradicional basado en las legumbres. Hemos seleccionado alguno sin legumbres y otros con ellas. Veámoslos a continuación:

Cremas de verduras Morenini Style

La que sigue es una «receta llave» para preparar infinitas cremas de verduras con el mismo sistema.

> Se trata de poner en una cacerola la verdura de tu elección, bien troceada, normalmente usamos las peladuras de las verduras que van al horno y los troncos de las que cocinamos al vapor.
> Añade puerro o cebolla picados, cubre todos los ingredientes con agua pura, a ser posible filtrada, y cuece durante unos 20 minutos, mientras en la parte superior, sobre la rejilla de la olla de vapor, preparas verduras al vapor, por ejemplo coliflor, brócoli, coles de Bruselas, kale, col blanca, col roja, berenjenas...

INGREDIENTES

Elige una de las siguientes combinaciones de verduras cada vez:

- 30 % puerro/cebolla + 70 % calabaza
- 30 % puerro/cebolla + 70 % calabacín
- 30 % puerro/cebolla + 70 % trigueros
- 30 % puerro/cebolla + 70 % coliflor
- 30 % puerro/cebolla + 70 % brócoli
- 30 % puerro/cebolla + 70 % espinaca
- 30 % puerro/cebolla + 70 % tomate
- 30 % puerro/cebolla + 70 % pimiento
- 30 % puerro/cebolla + 30 % coliflor + 40 % brócoli

¡ **NOTA IMPORTANTE:** Mejor que no mezcles todas las verduras entre sí para que todas las cremas no te parezcan la misma. Opcionalmente puedes añadir un trocito de apio, que actúa como condimento y potencia el sabor. !

PROCEDIMIENTO

- Una vez cocida la verdura de tu elección y el puerro o la cebolla, rectifica el sabor con una pizca de sal marina atlántica y añade un chorrito de aceite de oliva de primera presión en frío.
- Mi recomendación, por textura, sabor y nutrición, es añadir también una cucharadita o cucharada sopera de aceite de coco, siempre virgen extra y 100 % puro.
- Bate bien la crema hasta que adquiera el punto de pomada. Obtendrás una crema realmente exquisita.

¡ **NOTA IMPORTANTE:** Verás que no es necesario añadir ni patata, ni nata, ni quesitos, ni hacer un sofrito previo, ni cocinar la sal o el aceite de oliva. !

Si estás acostumbrado a incluir la patata o incluso copos de avena para espesar tus cremas de verduras, cámbiala por la coliflor, con la que conseguirás el mismo efecto cremoso pero manteniendo el índice glucémico a raya. Si no te gusta la coliflor, sólo con la cebolla en lugar de patata o avena conseguirás un efecto similar.

Lentejas castellanas

Este plato de cuchara es uno de los más habituales en todas las casas. Hay muchas recetas para preparar un plato de lentejas, aunque casi todas coinciden en un sofrito inicial, el estofado de las legumbres con agua y acompañadas de chorizo, lacón o costillas de cerdo, paso último que omitimos.

Ingredientes para 4 raciones

200 g de lenteja pardina, idealmente remojar en agua caliente durante la noche antes y tirar esa agua; no es imprescindible, pero si no se remoja tardará más en cocinarse.
1 cebolla
1 pimiento verde
1 zanahoria
1 puerro
2 dientes de ajo
Un trocito de jengibre fresco como de 1 cm
Un trocito de cúrcuma fresca como de 1 cm
Aceite de oliva virgen extra
1 tira de alga kombu
1 c. c. de pimentón de la Vera
4 cucharadas de tomate triturado
Sal marina
Agua

PROCEDIMIENTO

Paso 1. En una cazuela amplia calienta un poco de aceite de oliva. Agrega las verduras, los dientes de ajo y los trocitos de jengibre y cúrcuma frescos, y reserva media cebolla. Añade el alga. Añadimos las lentejas dentro de una red o de una bolsa de cáñamo libre de BPA (de venta en ferreterías, tiendas de menaje, en los todo a cien y en Amazon). Cubre con agua fría. Lleva a ebullición a fuego medio. Una vez que el agua empiece a hervir, baja el fuego, pero que siga hirviendo lentamente durante una hora.

Paso 2. Retira el alga, resérvala para decorar o deséchala si no te gusta su sabor o textura. Pasa las verduras a una batidora, tritúralas y ponlas en la cazuela. Saca las lentejas de la bolsa de cáñamo y añádelas a la cazuela. Remueve bien meneando un poco la olla o con cuidado con una cuchara de palo.

Paso 3.[4] Deja a fuego suave otra media hora más. Mientras, en una sartén con un poco de aceite pocha la otra mitad de la cebolla muy picada. Una vez dorada, echa el pimentón, dale unas vueltas con cuidado de que no se queme y agrega el tomate triturado. Deja que se haga dos minutos, retira y añade a la cazuela. Menea un poco para que se mezcle, sala y deja que se terminen de hacer las lentejas. Comprueba la cocción y rectifica de sal si fuese necesario.

Paso 4. Si lo deseas, puedes hacer puré de lentejas. Ideal para los niños o para ti si te cuesta digerir las pieles de las legumbres.

4. Si tienes una crema de verduras ya hecha y las lentejas ya cocidas, puedes comenzar la receta en este punto.

Cocido madrileño tradicional

Ingredientes para 6-8 raciones

500-750 g de garbanzos, de cualquier variedad, lechosos, castellanos, pedrosillanos, etc.
4 zanahorias
2 puerros
1 nabo
Aceite de oliva virgen extra
2 dientes ajo
De ¼ a ½ repollo
Para la sopa, un puñado de quinoa, mijo o trigo sarraceno (opcional)
Sal marina
Pimienta negra
Pimentón dulce
1 hoja de hierbabuena fresca (opcional)
Vinagre de manzana (opcional)

Este plato de cuchara incluye tres vuelcos tradicionales, primero la sopa, después las verduras y legumbres y finalmente las carnes, paso que omitimos en nuestra cocina saludable.

El cocido madrileño es una receta que sale muy económica, pues ninguno de los ingredientes es caro y cunde mucho, porque con una buena olla habrá para que obtengas 6 u 8 platos, y con las sobras, podremos hacer multitud de aprovechamientos, como hamburguesas vegetales. Por otra parte, a excepción de la patata, que omitimos, el cocido se puede congelar perfectamente, con lo que tendremos en nuestras reservas un plato ya hecho para cuando nos pueda apetecer.

PROCEDIMIENTO

Paso 1. La noche anterior, pon los garbanzos en un cuenco lleno de agua con un par de cucharadas de sal, que hará que no se encallen los garbanzos, y déjalos toda la noche en remojo.

Paso 2. Por la mañana, desecha el agua del remojo y mete los garbanzos en una red, malla o bolsa libre de BPA para cocinar y ponlos a hervir en agua nueva. Es importante bajar un poco el fuego cuando empiece a cocer, porque no queremos que hierva a borbotones, sino de forma tranquila. Así, el caldo quedará más transparente y no turbio. También hay que retirar la espuma que se forme arriba, pues ahí están las impu-

rezas. Calcula entre 2 y 3 horas, según la calidad y clase de garbanzos. Cuando los garbanzos estén tiernos, el cocido ya está hecho. Normalmente, si llenaste bien de agua la cacerola, no necesitarás añadir más, pero si fuera el caso, recuerda que los garbanzos tienen que hacerse siempre en agua hirviendo, para no que no se encallen, así que añade el agua bien caliente.

Paso 3. En otra cacerola, cuece las zanahorias peladas pero enteras, la parte blanca de los puerros entera y el nabo pelado y entero durante 30 minutos.

Paso 4. En una sartén fríe dos ajos fileteados, y en ese aceite, rehoga el repollo bien picado.

Paso 5. Saca los garbanzos ya cocidos y disponlos en una fuente, junto a las verduras. Reserva el caldo de ambas cacerolas.

Paso 6. Junta ambos caldos en la misma cacerola, deja la cantidad de caldo que vayas a necesitar para ese día y aparta el resto en botes de cristal para que se enfríen y los puedas reservar en la nevera. Cuece el caldo, rectifica de sal, pimienta y pimentón. Puedes añadirle un puñado de quinoa, mijo o trigo sarraceno si te gusta. No añadas fideos para evitar el gluten.

Paso 7. Primer vuelco, la sopa. Lo tradicional es servir la sopa bien caliente, humeante, con los fideos. Nosotros lo hacemos con los pseudocereales sin gluten, como la quinoa o el trigo sarraceno, que congelan muy bien y aguantan varios días en la nevera sin absorber todo el caldo, lo que no ocurre con los fideos o el arroz.
También se acostumbra también a servir sólo el caldo. Algunos añaden una hoja de hierbabuena, le da un toque de frescor, pero no es lo típico madrileño. Algunas personas añaden unos pocos garbanzos en el caldo, aunque no es lo ortodoxo.

Paso 8. Segundo vuelco, las verduras y los garbanzos. Servimos los garbanzos y la zanahoria, un trozo de nabo y el repollo rehogado. Esto se puede tomar tal cual, o bien aderezado con un poco de aceite y vinagre. Guardar en botes individuales las verduras y garbanzos del segundo vuelco.

Alubias pintas o azukis

Ingredientes para 2 raciones

200 g de alubias pintas o azukis
1 cebolla
1 pimiento verde
1 zanahoria
1 puerro
2 dientes de ajo
Aceite de oliva virgen extra
Agua
Sal marina
Pimentón de la Vera
2 c. s. de tomate natural triturado

El tiempo de cocción de la alubia dependerá de la dureza del agua que utilices. Por ejemplo, si las haces en Galicia tardan 1 hora menos que en Bilbao... Así que paciencia, toca esperar hasta que estén bien blanditas como mantequilla.

PROCEDIMIENTO

Paso 1. La noche anterior pon en remojo las alubias en agua fría al menos 8 horas y mejor 12.

Paso 2. Al día siguiente, escurre las alubias y ponlas en la cazuela. Dales unas vueltas. Lava y trocea las verduras (reservando media cebolla) y mételas en una bolsita para legumbres junto a los 2 dientes de ajo pelados. Ata e introduce en la cazuela. Cubre con agua fría dos dedos por encima de las alubias.

Paso 3. Tapa la cazuela y pon a fuego medio hasta que hierva. En ese momento tienes que «asustar» las alubias, y se hace para que la piel no se rompa. Para ello, simplemente añade un vasito de agua fría para cortar el hervor. Esta operación hay que hacerla tres veces.

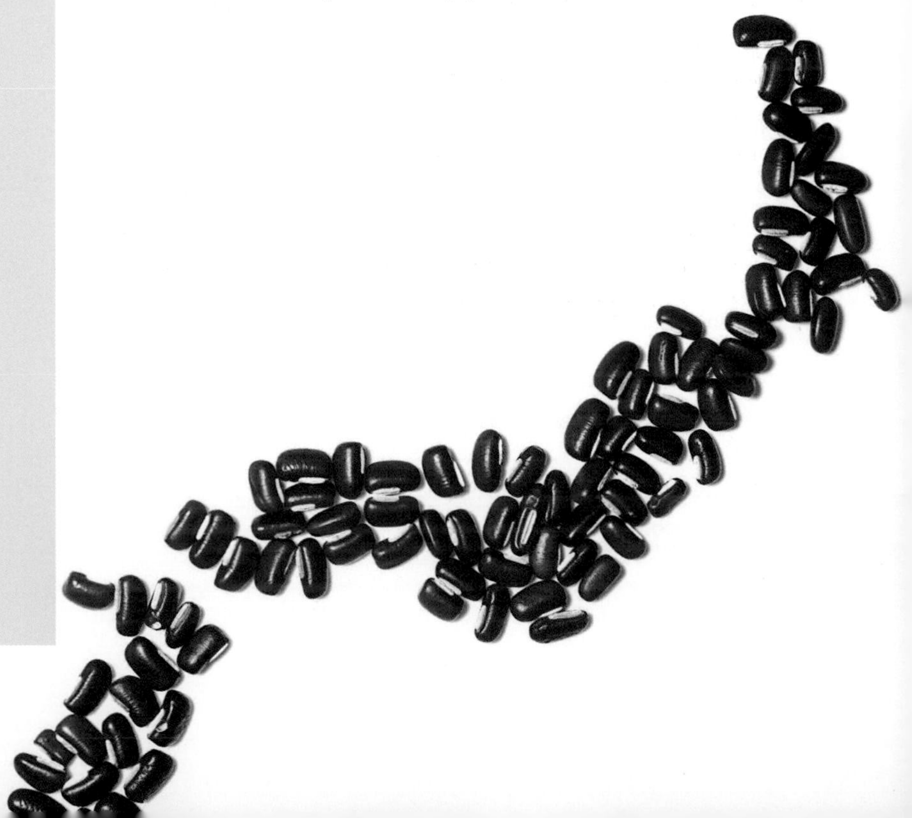

Paso 4. Una vez hecho esto, deja a fuego bajo pero que haga «chup-chup». Mueve la cazuela de vez en cuando para que la alubia suelte almidón y engorde el caldo poco a poco. Vigila cada rato, y si hay que mover con cuchara, hazlo con una de palo y muy suave para no romper las alubias.

Paso 5. Pasados 45 minutos - 1 hora y ½ de cocción, pincha las verduras con ayuda de un tenedor; si están blandas, saca la bolsita a un plato y deja que enfríe unos minutos. Vacía las verduras, tritúralas y añádelas a la cazuela.

Paso 6. Un poco antes de que estén listas las alubias, pon una sartén con un poquito de aceite. Trocea muy pequeña la media cebolla que tenías reservada y póchala. Cuando esté dorada, aparta del fuego y añade un poco de pimentón. Remueve para que se mezcle bien y se haga un par de minutos. Añade dos cucharadas de tomate natural triturado, remueve, cuece un par de minutos y añade a la cazuela de alubias. Mezcla meneando la cazuela, sala.

Paso 7. Tapa la cazuela y deja que se terminen de hacer durante el tiempo preciso. Rectifica de sal si fuese necesario.

Trucos:

- Si el caldo no está suficientemente gordo para nuestro gusto, sacamos unas cuantas alubias, las aplastamos con un tenedor y las añadimos. Otra forma sería dejar reposar un día las alubias, al día siguiente estarán mucho más sabrosas.
- Podemos añadir también a la legumbre patata «cascada». Lo haremos como mínimo 30 minutos antes de terminar la cocción dependiendo de la cantidad y tamaño de los trozos a cocer. Sólo ten presente que en este caso habrá 2 reyes en el plato y además no se puede congelar por estar presente la patata.

Kitcheree

Ingredientes para 6 raciones

4 c. s. de aceite de coco
1 diente de ajo picado
1 trozo de jengibre fresco de 2 cm de lado, bien picado
1 c. s. de curry en polvo
1 c. s. de semillas de comino
1 c. s. de semillas de anís verde o de hinojo
1 rama de canela
100 g de lenteja partida y pelada dhal
200 g de arroz basmati integral
3 litros de caldo vegetal
1 c. c. de asafétida (opcional)
50 ml de agua de mar
1 c. s. de sal del Himalaya

PROCEDIMIENTO

Paso 1. Sofríe ligeramente el ajo y el jengibre en el aceite de coco. Añade las semillas de comino y anís (o hinojo) y la rama de canela. Añade el curry en polvo. Tuéstalos ligeramente hasta que comiences a percibir el aroma.

Paso 2. Añade el caldo vegetal, la asafétida, el agua de mar y la sal del Himalaya. Cuando hierva, baja el fuego y puedes hacer 2 cosas:

Si lo vas a consumir en el momento: Añade la lenteja y el arroz basmati y cocina durante 15-20 minutos o hasta que el arroz y el dhal estén tiernos. Sirve.

Si vas a preparar batch cooking para comer kitcheree durante todo el día o varios días: Reserva el caldo base del kitcheree sin añadirle arroz ni lentejas. Cocina la lenteja dhal y el arroz aparte, cada uno por separado, guárdalos así mismo por separado, y añádelos directamente al caldo base caliente cada vez que vayas a tomar kitcheree, pues el arroz va consumiendo el caldo y se va quedando hecho unas gachas con textura tipo engrudo.

Fabada asturiana

Ingredientes para 5-6 raciones

500 g de fabes secas, remojadas previamente entre 8-12 horas
250 ml de caldo de verduras
2 cebollas pequeñas
1 cabeza de ajos
1 c. s. de colmada de pimentón de la Vera
2 guindillas rojas secas (opcional)
Un trocito de jengibre fresco como de 1 cm
Un trocito de cúrcuma fresca como de 1 cm
Aceite de oliva
1 tira de alga kombu
Unas hebras de azafrán
2 l de agua mineral de baja mineralización (Bezoya, Solán de Cabras)
4 c. s. de aceite de oliva virgen extra
Sal marina

La fabada es el clásico potaje de legumbres tradicional de Asturias.

PROCEDIMIENTO

Paso 1. Escurre el agua del remojo de las fabes. Dispón en la cazuela y cúbrelas con los 2 litros de agua. Añade la cabeza de ajos bien limpia de raíces y arenillas, una de las cebollas pelada y la guindilla. Lleva a ebullición y desespuma.

Paso 2. Asusta ahora las fabes con el caldo de verduras bien frío, y cuando vuelva a hervir, tapa la olla y cuece durante una hora.

Paso 3. Mientras cuece, sofríe la segunda cebolla picada en brunoise en 4 cucharadas de aceite de oliva. Una vez rehogada, apaga el fuego y añade la cucharada colmada de pimentón.

Paso 4. Añade a la olla sin dejar de cocer, junto con el resto de ingredientes y opcionalmente, otra guindilla. Cuece 45 minutos más y listo.

Platos de cuchara para el verano

Cuando suben las temperaturas apetece tomar cremas frías, con cuchara y tropezones, que nos refrescan el paladar y nos quitan la sed.

Andalucía, mi tierra natal, destaca por sus sopas frías para el verano.

Ajoblanco con uvas

Ingredientes por persona

100 g de almendras peladas
100 ml de leche de coco
5 uvas despepitadas y peladas
3 c. s. de aceite de oliva
1 c. s. de vinagre de manzana
Sal marina al gusto

PROCEDIMIENTO

Paso 1. Remoja las almendras entre 4 y 6 horas y desecha el líquido.

Paso 2. Tritúralas con la leche de coco, el aceite, el vinagre y la sal.

Paso 3. Refrigéralo hasta el momento de servir (aguanta hasta 5 días en la nevera).

Paso 4. Sírvelo bien frío con trocitos de almendra y las uvas por encima

Gazpacho

Ingredientes para 2 raciones

500 g de tomate pera
½ pepino pelado
½ pimiento verde
¼ de cebolleta
Aceite de oliva virgen extra
Vinagre de manzana
Sal marina al gusto

PROCEDIMIENTO

Paso 1. Reserva una pequeña parte de tomate, pepino, pimiento y cebolleta para la guarnición y córtalos en daditos.
Paso 2. Tritura todos los ingredientes menos el aceite de oliva virgen extra y el vinagre de manzana.

Paso 3. Añade el aceite de oliva virgen extra y el vinagre de manzana mezclándolos a mano.

Paso 4. Refrigera hasta servir. Aguanta hasta 7 días en la nevera.

Paso 5. Sírvelo muy frío con daditos de tomate, pepino, pimiento y cebolleta por encima que habremos reservado antes de triturar.

Variaciones:

- Sustituir el tomate por 1 aguacate y añadir 100 g de brócoli al vapor.
- Añadir 1 aguacate y 1 zanahoria grande cocida al vapor.

Ensaladas de hortalizas

Una ensalada puede ser abundante, y lo ideal es que tomes una en cada comida.

- Elige una hoja verde como rúcula, berros, canónigos, mézclum, lechuga, cogollos, escarola, endibias, achicoria... y una o varias hortalizas, que pueden ser tomate, pepino, aguacate, pimiento, cebolla, apio, rabanito, aceitunas, remolacha...
- Añade semillas crudas o germinadas.
- Después aliña con sal marina, aceite de oliva y zumo de limón.
- Opcionalmente puedes añadir alguna fruta como higos en verano o manzana en invierno. Si la tomas junto a un batido verde, habrás hecho una comida détox ideal.

Esta sensación de bienestar no es para ser leída, sino para ser vivida. Es un reconocimiento a tu verdadera esencia y naturaleza. Si sales a cenar a un restaurante de lujo y ves en la carta una ensalada tan natural, puede que la descartes y elijas un plato más sofisticado. Sin embargo, si está preparada con ingredientes auténticos, cuando la comes, sientes el gozo de cuidarte y el sabor de lo que es de verdad.

Una ensalada nutritiva de verdad se prepara con ingredientes ecológicos, por ejemplo, una lechuga buena, crujiente, fresca, que tiene sabor; un tomate que huele a planta, y un aguacate cremoso y en su punto, aliñada con sal marina y no sal química y aderezada con un aceite de oliva oscuro, denso y puro, de sabor fuerte y real.

Ensaladas de legumbres. Sigue la misma receta que para preparar una ensalada de hortalizas y añade legumbres ya cocidas. Puedes servir la ensalada templada.

Si estás acostumbrado a consumir platos muy elaborados, una ensalada sencilla te puede sonar aburrida. Sin embargo, por más que te atraiga un plato de cocina francesa *gourmet*, con sus salsas y florituras, el organismo responde con salud y energía ante los platos más sencillos. Al cuerpo le gusta que actúes en sintonía con la naturaleza y la vida sana y sencilla.

Verduras al vapor

Ingredientes

Agua pura filtrada
La verdura de tu elección: puede ser de la familia de las coles (coliflor, brócoli, romanescu, coles de Bruselas, repollo, lombarda...), hojas verdes (espinacas, berza, acelgas, borraja, cardo...), alcachofas, judías verdes, hinojo, puerro, espárragos, calabaza, calabacín..., unos 100 g por persona
Sal marina al gusto
Pimienta al gusto (opcional)
Cúrcuma al gusto (opcional)
Levadura nutricional al gusto (opcional)
Aceite de oliva virgen extra al gusto

PROCEDIMIENTO

- Si no dispones de vaporera, añade un dedo de agua en una olla que tenga tapa e introduce las verduras cortadas.
- Si dispones de vaporera, llena la base de agua, pon el cestillo encima con las verduras cortadas para vapor en trozos pequeños y pon los trozos bastos como tallos, pieles ecológicas y demás partes gruesas en la base junto con el agua, si deseas cocer verduras para hacer una crema colócalas abajo, a la vez que preparas las verduras al vapor arriba.
- Coloca encima la tapa de la olla y cuece durante unos pocos minutos, hasta que las verduras estén tiernas pero conserven un color verde intenso.
- Cuando el color de las verduras es apagado, significa que nos hemos pasado con la cocción o que hemos puesto demasiada agua.
- Saca las verduras de la olla.
- Las verduras están listas para ser consumidas, tan sólo necesitan que les añadas una pizca de sal marina y un chorrito de aceite de oliva. Otras opciones son añadir cúrcuma y pimienta negra, levadura nutricional y luego el chorrito de aceite de oliva. También puedes reservar parte del líquido de cocción, añadirle un poco de miso y beberlo como un caldo vegetal antes de tomar las verduras.

Puedes preparar con ellas una crema de verduras siguiendo el sistema Morenini que puedes ver en la receta «cremas de verduras Morenini Style», más arriba en este recetario.

Huevos

El huevo es un alimento completo; ligero, pero contundente, un ingrediente imprescindible en nuestra despensa.

Un sencillo huevo nos solucionará comidas y cenas, pero también un desayuno y un *brunch*.

Recuerda comprar siempre huevos ecológicos procedentes de gallinas criadas en libertad.

Ensalada de patata

PROCEDIMIENTO

Paso 1. Pela la patata y córtala en trozos.

Paso 2. Haz la misma operación con los huevos.

Paso 3. Añade la sal y el sésamo.

Paso 4. Añade el aceite de oliva virgen extra al gusto.

Paso 5. Espolvorea con eneldo fresco.

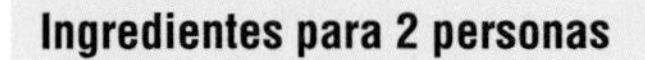

Ingredientes para 2 personas

1 patata cocida
2 huevos cocidos
Semillas de sésamo negro
Sal marina al gusto
Aceite de oliva virgen extra
Eneldo fresco

Huevos al plato con espinacas

Ingredientes para 1 ración

150 g de espinacas al vapor
1 huevo
1 tomate pera
Aceite de oliva virgen extra
Sal y pimienta

PROCEDIMIENTO

Paso 1. Calienta el horno a 180 °C.

Paso 2. Cuece las espinacas al vapor o mejor si ya las tienes listas como resultado de tu batch cooking.

Paso 3. Pon las espinacas en un recipiente apto para el horno y añade el huevo.

Paso 4. Salpimienta y rocía con aceite de oliva.

Paso 5. Hornea de 10 a 15 minutos o hasta que la yema del huevo esté a tu gusto.

Paso 4. Añade el tomate a cuartos y sirve inmediatamente.

Shakshuka

Ingredientes para 1 ración

2 huevos
400 ml de nata de coco
1 tomate fresco
100 g de brócoli
1 guindilla
Cebollino al gusto
Sal marina al gusto

Paso 1. Calienta el horno a 180 °C.

Paso 2. Cuece el brócoli al vapor 8 minutos, cortado en arbolitos. Si ya lo tienes preparado de tu batch cooking, mejor.

Paso 3. Dispón todos los ingredientes en una sartén apta para el horno.

Paso 4. Hornea de 10 a 15 minutos o hasta que los huevos estén a tu gusto. Sirve inmediatamente.

Tipos de ingredientes para batidos sin lácteos, salsas y aliños y patés

Líquidos	Cremosos	Fruta	Verdura	Condimentos	Otros
Agua	Tahini	Fruta fresca	Hojas verdes	Canela en polvo	Hielo
Agua de coco	Pasta de almendras	Fruta congelada	Aceitunas	Cacao en polvo	Zumo de limón
Leche vegetal	Anacardos		Hortalizas	Espirulina en polvo	Vinagre de manzana
Agua de mar	Nueces de macadamia		Aromáticas (perejil, albahaca, menta)	Té matcha	Tamari
Zumo fresco	Piñones			Sal marina	Aceite de oliva virgen extra
Kéfir de agua	Pistachos			Pimienta	
	Semillas de chía			Jengibre fresco	
	Semillas de lino			Ajo	
	Semillas de girasol			Cebolla	
	Semillas de calabaza			Apio	
	Cáñamo			Curry en polvo	
	Plátano			Levadura nutricional	
	Yogur			Miso	
	Aguacate				
	Tofu sedoso				
	Aceite de coco				
	Aceite de oliva				
	Aceite de aguacate				
	Garbanzos				
	Lentejas				
	Azuki				

Recetas llave

Triturar todo junto y listo.

Recomiendo las batidoras que se listan al final en «Proveedores recomendados» (Conasi y Amazon), por su fácil manejo y limpieza, aunque se puede utilizar cualquier sencilla batidora de brazo. Y para medir, un simple medidor de Ikea. Recetas que se preparan en 1 minuto. Muy saludables y fáciles.

Recetas llave en 1 minuto	Batidos sin lácteos	Salsas o aliños	Patés
Líquido	150 ml	50 ml de agua	-
Ingrediente cremoso	1 c. s. o 25 g	100 ml	100 g
Fruta	50 g	50 g (opcional)	-
Verdura	Un manojo de hojas verdes	50 g (opcional)	50 g
Condimentos	Una pizca de uno o varios	Una pizca de uno o varios	Una pizca de uno o varios
Otros	1-2 hielos Un chorrito	Un chorrito	Un chorrito
Cómo consumirlo	En el desayuno o a media mañana	Para aliñar una ensalada cruda o un hidrato de carbono cocinado	Para picar entre horas con crudités

Ejemplos

Recetas llave en 1 minuto	Batido de arándanos	Salsa o aliño de tahini y zanahoria	Pesto de albahaca y pistachos	Queso crudivegano para untar	Paté de tofu y miso	Paté de girasol y tomate seco
Líquido	150 ml agua de coco	50 ml de agua o más hasta ajustar consistencia	-	-	-	-
Ingrediente cremoso	1 c. s. de semillas de chía	100 ml de tahini	100 g de pistachos pelados 50 ml de aceite de oliva	100 g de anacardos (remojar 2-4 h y escurrir bien)	100 g de tofu duro	100 g de semillas de girasol
Fruta	50 g de arándanos	-	-	-	-	-
Verdura	-	50 g de zanahoria	50 g de albahaca	-	-	50 g de tomate seco en aceite de oliva virgen extra
Condimentos	Una pizca de canela y de sal marina Un trocito de jengibre fresco	Sal marina	Sal marina Levadura nutricional	Sal marina Levadura nutricional	1 c. s. de miso	Medio diente de ajo
Otros	1-2 hielos	Un chorrito de limón	Un chorrito de limón	Un chorrito de limón Aceite de oliva virgen extra	Un chorrito de limón o vinagre de manzana	Un chorrito de limón
Cómo tomarlo	En el desayuno o a media mañana	Para aliñar una ensalada verde o unas patatas cocidas	Para picar entre horas con palitos de zanahoria	Para picar entre horas con palitos de zanahoria o para untar sobre rodajas de manzana	Para rellenar tomates o pimientos rojos crudos	Para picar entre horas con barquitas de pepino

Salsas y aliños

Un sencillo plato de patatas cocidas, boniato cocido, mijo, quinoa, trigo sarraceno, garbanzos, tempeh, verduras al vapor, una ensalada…, todo puede cambiar de la noche a la mañana si le añades semillas crujientes y cualquiera de estas salsas.

Es una manera sencilla y rapidísima de realizar una comida completa.

Por ejemplo, imagina una patata al horno con semillas de sésamo y salsa de tahini y miso; o quinoa con salsa de remolacha, zanahoria y apio y semillas de calabaza por encima. No necesitas mucho más para una comida rápida.

Salsa de tahini y miso

Se prepara mezclando ajo picado, la misma cantidad de tahini que de miso, aceite de oliva y zumo de limón. Añade agua hasta ajustar consistencia.

Salsa de ajo y perejil

Se prepara mezclando la misma cantidad de ajo picado que de perejil fresco picado, añade aceite de oliva, zumo de limón y sal marina.

Salsa de ajo y orégano

Mezcla la misma cantidad de ajo picado que de orégano seco, añade aceite de oliva, zumo de limón y sal marina.

Salsa de remolacha, zanahoria y apio

Dispón en el vaso de la batidora la misma cantidad de remolacha, zanahoria y apio picados, añade aceite de oliva, zumo de limón y sal marina. Puedes añadir una pizca de jengibre. Bate bien todos los ingredientes y aliña con ella las verduras.

Salsa de mostaza, mayonesa y miel

Mezcla ajo picado, la misma cantidad de mostaza, mayonesa y miel, añade aceite de oliva, zumo de limón y sal marina.

Mix de especias y superalimentos para horneados

- Jengibre fresco
- Semillas de cilantro
- Pimienta negra molida
- Guindilla
- Canela en rama
- Comino en semilla
- Anís estrellado
- Anís en grano
- Nuez moscada
- Curry
- Zatar
- Ghee
- Aceite de coco
- Aceite de oliva
- Azúcar de coco

Para hornear un vegetal tan sólo necesitas elegir las verduras que desees hornear, disponer de un recipiente de loza o de cristal ideal para horno y añadir uno o varios de los ingredientes contenidos en el listado de arriba, un chorrito de aceite de oliva o aceite de coco y una pizca de sal marina.

Mi recomendación es que utilices recipientes de ración. De este modo, simplemente necesitas sacarlos del horno, esperar que se enfríen y guardarlos en la nevera. Para calentarlos, destápalos, mételos al horno 5 minutos y estarán listos. Incluso puedes añadir encima un huevo o algún pescado que quieras cocinar unos 5-7 minutos en el horno.

Una sencilla y deliciosa receta consiste en laminar unas patatas, masajearlas con sal marina, pimienta negra y semillas de comino, echar por encima un buen chorro de aceite de oliva, y hornear durante una hora o incluso hora y media a 180 °C.

Lo mismo puedes hacer con un boniato pelado y cortado en dados, bien masajeado con zatar y rociado con aceite de coco, por ejemplo.

Existen infinitas combinaciones al horno. Otra muy sencilla y resultona consiste en hornear pimientos de colores con sal marina, guindilla y aceite de oliva. O también laminar coles de Bruselas, salpimentarlas y añadir un poco de ghee; o mezcla de aceite de coco y aceite de oliva.

Las verduras al horno son increíblemente versátiles, pues con ellas se pueden preparar infinitas combinaciones de platos, destapando el recipiente donde se hayan preparado y estén conservadas y utilizándolas como base para elaborar:

- Huevos al plato, añadiendo encima uno o dos huevos y salpimentando por encima.
- Pescado al horno, añadiendo encima el lomo de un pescado blanco o azul y rociando con aceite de oliva y zumo de limón.
- Cremas de verduras, si añades agua, agua de mar o caldo de verduras y aceite de oliva en crudo y trituras bien.

- Para añadirlas a una ensalada y preparar así una ensalada templada. Sólo necesitarás añadir alguno de los aliños que te proponemos en el apartado «Salsas y aliños».
- Para acompañar cualquier plato de patatas, cereales, pseudocereales o legumbres.
- Para hacer hamburguesas vegetales, juntándolas con algún grano que nos haya sobrado, como mijo o garbanzos.
- Para hacer sándwiches vegetales, untando el pan previamente con algún paté vegetal o hummus y añadiendo, si te apetece, hojas verdes y hortalizas crudas.
- Para hacer makis vegetales, untando la hoja de alga nori con algún paté vegetal o hummus y añadiendo, si te apetece, hojas verdes y hortalizas crudas.

Patés vegetales y hummus

Los patés vegetales son otra opción para ensalzar platos sencillos de verduras. También acompañan crudités, visten platos de cereales o legumbres cocidas y rellenan sándwiches junto a hojas verdes, rodajas de tomate natural, de pepino y germinados.

Paté de remolacha, zanahoria y apio

Dispón en el vaso de la batidora ½ aguacate, ¼ de remolacha, ¼ de zanahoria y ¼ de rama de apio picados, añade aceite de oliva, el zumo de medio limón y sal marina. Puedes añadir una pizca de jengibre. Bate bien todos los ingredientes. Es la misma receta que la salsa pero con la adicción de un aguacate. Ayuda a aplacar los deseos de dulces.

Paté de algas

Remoja toda la noche y por separado 3 tiras de algas espagueti de mar y 2 cucharadas soperas de semillas de cáñamo. Escurre el agua del remojo de las algas y bate el conjunto con un cuarto de cebolla dulce, aceite de oliva y zumo de limón al gusto, y una pizca de sal marina, añadiendo un poco de agua.

Tapenade

Tritura 100 g de aceitunas negras o verdes sin hueso con una cucharada sopera de nueces, un cuarto de pimiento rojo y una cucharada sopera de aceite de oliva. No hace falta añadir sal. Puedes añadir 3 o 4 alcaparras.

Paté de alcachofas

Tritura 100 g de alcachofas cocidas con 3-4 tomates secos, una cucharada sopera de almendras peladas o piñones (opcional), una cucharadita de zumo de limón y un chorrito de aceite de oliva. Salpimienta al gusto.

Paté de lentejas

Tritura 100 g de lentejas cocidas ya salpimentadas con una cucharada sopera de cebolla cruda y un chorrito de aceite de oliva y limón.

Hummus sin garbanzo

Tritura un calabacín crudo y pelado con una cucharada sopera de tahini, aceite de oliva, zumo de limón y sal marina. En lugar de la sal marina, puedes añadir una ciruela umeboshi.

Hummus de pimiento sin garbanzo

Otra variante es el hummus de pimiento rojo. Es la misma receta que la del hummus sin garbanzo, sólo tienes que sustituir medio calabacín por un pimiento rojo.

Hummus tradicional

Tritura 100 g de garbanzos con una cucharada sopera de tahini, una cucharada sopera de aceite de oliva, media cucharadita de zumo de limón y una pizca sal marina. Puedes añadir una pizca de ajo si lo deseas, pero ten en cuenta que el ajo levanta su potencia con el tiempo, por lo que su sabor se irá intensificando a medida que pasan los días.

Hummus con remolacha

Sigue la receta de hummus tradicional y añade un cuarto de remolacha cruda o cocida, como desees. Si la añades cocida, el hummus se conservará durante más tiempo y saldrá más cremoso que si la añades cruda, pero ten en cuenta que quedará más ligero, porque los alimentos cocidos retienen agua.

Hummus con zanahoria

Sigue la receta de hummus tradicional y añade una zanahoria cruda o cocida, como desees. Si la añades cocida, el hummus se conservará durante más tiempo y saldrá más cremoso que si la añades cruda, pero ten en cuenta que quedará más ligero, porque los alimentos cocidos retienen agua.

Hummus con boniato

Sigue la receta de hummus tradicional y añade medio boniato al horno o cocido, como desees. Si lo añades cocido, saldrá igual de cremoso que si lo añades horneado, pero ten en cuenta que quedará más ligero, porque los alimentos cocidos retienen agua.

Hummus con queso crudivegano para untar

Sigue la receta de hummus tradicional y añade 1 cucharada sopera de queso básico de frutos secos (*véase* la receta «Queso básico de frutos secos» de la pág. 157).

Hummus thai

Sigue la receta de hummus tradicional y añade coco rallado y un chorrito de sirope de agave o arce, añade una guindilla seca pequeña y cambia el zumo de limón por zumo de lima.

Fermentados, grandes aliados del batch cooking

Chucrut

El chucrut es el alimento fermentado estrella y debería ingerirse a diario. Las bacterias ácido lácticas inician la fermentación cuando la planta se encuentra en trozos, por la ruptura de sus tejidos, y completamente sumergida en sus propios jugos o en salmuera (que extrae sus jugos):

- Estimula el peristaltismo intestinal.
- Disminuye la tensión arterial.
- Además de todos los beneficios que contienen todos los alimentos fermentados, el chucrut destaca porque posee ácido colina, que es un neurotransmisor que presenta las siguientes propiedades: calma e induce al sueño y mejora la memoria, su función es transmitir el impulso nervioso y suele ser deficitario en personas enfermas de alzhéimer.

Cómo preparar chucrut[5]

UTENSILIOS

Licuadora o extractora de zumo

Frasco de cristal con cierre de palanca

Ingredientes

1 col verde (repollo)

PROCEDIMIENTO

Paso 1. Pica la col.

Paso 2. Licúala (es decir, introdúcela en un extractor de zumos para hacer zumo de col).

Paso 3. Una vez obtenidos el zumo por un lado y la pulpa por otro, mezcla el zumo con la pulpa hasta obtener una especie de puré grumoso.

Paso 4. Envasa la mezcla en un frasco de cristal completamente lleno.

Paso 5. Tapa herméticamente, idealmente con cierre de palanca.

Paso 6. Colócalo encima de una bandeja para no manchar la encimera cuando desborde líquido como consecuencia de la fermentación.

Paso 7. Espera entre 3 y 5 días, según si es verano o invierno, respectivamente, y ya está el chucrut listo. Se conserva en la nevera durante 3 semanas.

¡ **NOTA IMPORTANTE:** El proceso para hacer chucrut no tiene por qué llevar sal, el chucrut preparado así es un alimento ideal para hipertensos. Puedes usar repollo morado o col verde, o una mezcla de ambos. !

5. Te preguntarás si conozco alguna marca de chucrut bío sin pasteurizar. Lo ideal es hacerlo nosotros mismos, pues es un poco complicado encontrarlo sin pasteurizar, existen algunas marcas, como la inglesa Raw Health. En su página web vienen los distribuidores fuera de Inglaterra. En España disponemos de la marca Holandesa Naturel Zuurkool, más información en www.zuurkoolrecepten.nl.

Veggiecrut

Es una versión del chucrut en la que se añaden otros vegetales además de la col verde o repollo. Puedes preparar veggiecrut disponiendo la col además de otros vegetales por capas, como zanahoria, pimiento verde, apio, coliflor, remolacha. Puedes utilizar el mismo procedimiento (hacerlos zumo y mezclar ambos por capas) y decorar un precioso tarro de cristal con los diferentes colores.

Kimchi

El kimchi es un alimento fermentado indispensable en todas las mesas coreanas, de sabor salado y picante, hecho a partir de col china. Es patrimonio cultural inmaterial de la humanidad de Unesco, debido a su legado en la cultura coreana, tras iniciativas de Corea del Sur en 2013 y de Corea del Norte en 2015.

- Contiene gran cantidad de vitamina C (sobre todo por su elevada concentración en col, bróculi y guindilla) y carotenos, así como cantidades sustanciales de proteínas, carbohidratos, calcio, y vitaminas B1 y B2.
- La guindilla contiene capsaicina, que alivia el dolor de la artritis, así como licopeno, que junto a la vitamina C constituye uno de los mejores antioxidantes. Su contenido en antioxidantes depura el organismo y lo libera de la influencia degenerativa de los radicales libres.
- La fermentación láctica a la que se somete a las verduras por medio de la sal hace que se predigieran, y al ser mejor digeridas, las sustancias nutritivas se asimilan mejor.
- Por ello, debido a sus propiedades antioxidantes unidas a las del ácido láctico, las verduras se conservan de manera ideal, aun cuando están bien picadas para favorecer el proceso del ácido láctico.
- Como los demás fermentados, el kimchi ayuda a combatir un buen número de hongos, bacterias y virus, y favorece la regulación intestinal y la sensación de hacer bien las digestiones, lo que se consigue añadiendo un poco de kimchi a los platos principales de cereales o legumbres.
- El kimchi es el alimento cardiosaludable por excelencia, debido a la inclusión de ajo fermentado, pues el ajo contiene:
  - Selenio, que favorece la eliminación de colesterol malo (LDL) de las paredes arteriales.
  - Alicina, que trabaja con la cebolla para elevar los niveles de las moléculas de transporte de colesterol bueno (HDL) que llevan el colesterol (LDL) a la vesícula, por lo que reduce el colesterol malo y los niveles altos de triglicéridos.
  - Glutatión peroxidasa, que amplía la disponibilidad de la vitamina C.

¿Cuánto kimchi o chucrut tomar cada día? Se puede tomar una cucharada sopera o más en cada comida acompañando a las recetas como saborizante o como guarnición.

Cómo preparar kimchi coreano en la versión Morenini, españolizada y vegetarianizada

Ingredientes:

Verduras:

1 col china sin el tronco, también puedes usar una col verde o una col lombarda
1 brócoli
1 zanahoria grande
1 cebolla pequeña
3 dientes de ajo
Semillas de comino
1 c. s. de sal marina

Adobo españolizado:

1 cucharada de aceite de oliva virgen extra de primera presión en frío
1 cucharada de aceite de coco
2 cucharadas de pimentón dulce molido
Unas 10 pimientas de cayena o pimentón picante molido al gusto (¡si te gusta muy picante, no te cortes!). Aunque es parte de la receta a nivel de sus efectos terapéuticos, si no se tolera el picante se puede disminuir e incluso omitir
2 dientes de ajo fresco
2 dientes de ajo negro
Jengibre fresco al gusto
1 limón entero pelado
½ vasito de vinagre ecológico de manzana
1 c. s. de miso sin pasteurizar
Tomillo y orégano secos al gusto
¡Y cualquier ingrediente con mucho sabor que te apetezca!

UTENSILIOS

Un tarro de cristal con cierre de palanca
Un cuchillo preferentemente de cerámica
Una tabla de madera para cortar sobre ella
Resulta muy útil un robot de cocina tipo Thermomix o Cuisinart, o incluso el accesorio picador de la batidora

PROCEDIMIENTO

Paso 1. Separa las hojas de la col china y quítales el tronco. Pica la col china en juliana muy fina para que los trozos presenten la mayor superficie de contacto con la sal. Así el proceso del ácido láctico se iniciará de forma rápida y uniforme favoreciendo la conservación y las buenas propiedades del kimchi, excluyendo los microbios que no forman parte del proceso del ácido láctico.

Verás cómo los colores de las verduras se avivan en vez de palidecer en cuanto se añade la sal inmediatamente después de cortar las verduras. La sal también fermentará, por lo que será más asimilable y menos perjudicial, aun así, como ya sabes, es importante usar sal sin refinar, sin conservantes ni antiapelmazantes, como la sal marina o la sal del Himalaya.

Paso 2. Sigue cortando las verduras (brócoli, zanahoria, cebolla, ajo...) por tandas, aplicándoles sal, mezclándolas con las manos y añadiéndolas todas juntas a un enorme cuenco de cristal donde las irás mezclando con la col china picada.

Paso 3. Después de preparar todas las verduras, mientras la sal empieza a hacer su efecto, preparamos el adobo triturando muy bien todos los ingredientes con ayuda de la batidora; ajustando el picante a nuestro gusto, tiene que quedar una pasta lisa con la que podamos untar las verduras con facilidad.

Paso 4. Añade el adobo a las verduras saladas mediante movimientos envolventes.

Paso 5. Dispón todos los ingredientes llenando hasta arriba un tarro de cristal con cierre hermético de palanca bien cerrado a presión.

Paso 6. Antes de cerrar el tarro, pon un círculo de papel de hornear encima del kimchi, para evitar que se oxide la superficie y que así no le salga moho. Cierra herméticamente con la palanca del tarro.

Paso 7. Déjalo fermentar a temperatura ambiente y protegido de la luz directa entre 3 y 5 días, según si es verano o invierno, respectivamente. Recuerda poner el bote de cristal sobre un plato, pues una vez comenzada la fermentación, empezará a desbordar el líquido debido a la presencia de gas carbónico, que empuja la tapa hacia arriba. Así evitarás que se ensucie la encimera o el armario de la cocina. Como con el resto de alimentos fermentados, cuanto más tiempo se fermenta, más intenso es su sabor, por lo que llegado un punto sabrá demasiado fuerte.

CONSERVACIÓN

Una vez fermentado, se conserva bien cerrado en la nevera alrededor de 3 semanas. Cada vez que comas un poco de kimchi, aplana la superficie y cúbrela con el círculo de papel de hornear, para que no esté en contacto con el oxígeno y no le salga moho. Después tápalo con su tapadera, idealmente de cristal si lo envasas en un tarro con cierre de palanca. Si le sale moho, no te preocupes, retira la parte superior, pues lo de debajo no se habrá estropeado. Lo ideal es ir trasladando el kimchi a un tarro más pequeño conforme vayas consumiéndolo, para que no esté tan expuesto al aire.

Cremas de frutos secos

Puedes prepararlas con los frutos secos enteros (pelados) o bien a partir de sus cremas o mantequillas.

La proporción de las cantidades es la misma tanto si las preparas a partir de los frutos secos como si lo haces a partir de sus cremas. Si se hace a partir de los frutos secos, conviene dejarlos en remojo la noche antes, escurrir el agua y triturarlos todos juntos. Puedes preparar las cremas con una textura crujiente, dejando trozos de frutos secos sin triturar del todo.

Crema de macadamia crunchy

1 c. s. de crema o de cacahuetes
1 c. s. de crema o de macadamias
1 c. s. de crema o de nueces de Brasil
1 c. s. de crema o de anacardos
1 c. s. de tahini
1 c. s. de aceite de coco
1 c. s. de sirope de arce
Una pizca de sal marina

Crema de almendras y macadamias

1 c. s. de crema o de almendras
1 c. s. de crema o de macadamias
1 c. s. de crema o de cacahuetes
1 c. s. de crema o de anacardos
1 c. s. de semillas de chía sin remojar
1 c. s. de aceite de coco
1 c. s. de sirope de arce
Una pizca de sal marina

Quesos crudiveganos para untar

Queso básico de frutos secos

INGREDIENTES

- 100 g de frutos secos o semillas blandos, como anacardos, almendras peladas, semillas de girasol, semillas de calabaza, semillas de cáñamo peladas o piñones. Elige un solo tipo.
- El zumo de 1 limón
- Un chorrito de aceite de oliva virgen extra
- 1 c. s. de aceite de coco
- 1 c. c. de levadura nutricional
- Sal marina al gusto
- Pimienta negra al gusto
- Agua hasta ajustar la consistencia para conseguir un queso de untar

PROCEDIMIENTO

- Remoja los frutos secos o las semillas toda la noche (sólo de un tipo), excepto en el caso de los piñones.
- Escurre el agua.
- Tritura los frutos secos elegidos con el resto de los ingredientes.
- Consérvalo refrigerado en un bote de cristal con cierre de palanca.

CONSERVACIÓN

- Dura en la nevera hasta 15 días.

Quesos crudiveganos curados

Elige los frutos secos y las semillas en función de la dureza, color, sabor y textura que quieras que tenga el queso. En la práctica, se suelen utilizar anacardos, macadamias y a veces nueces de Brasil.

Elige el tipo de probiótico a emplear, que puede ser:

INGREDIENTES

- Acidófilus en polvo
- Levadura nutricional
- Miso
- Ajo negro
- Chucrut
- Kimchi
- El suero contenido en el chucrut o el kimchi
- Miso diluido en agua
- Vinagre de manzana
- O puedes también no usar probiótico, pues el queso fermentará igual

PROCEDIMIENTO

- **Paso 1.** Remoja los frutos secos de tu elección toda la noche. En este caso, puedes mezclar frutos secos entre sí. ¿Por qué? Porque van a fermentar. La fermentación de los alimentos proteicos los predigiere y hace que podamos saltarnos las leyes de la combinación de alimentos y jugar con ellos como si fueran verduras o aceites que combinan con todo.

  Con 1 kilo de anacardos, 1 kilo de macadamias y 1 kilo de nueces de Brasil, se consiguen 4 kilos de queso, porque al remojar los frutos secos, éstos aumentan de tamaño.

  Escurre bien los frutos secos y tritura con agua + el probiótico de tu elección.

  Para 1 kilo de frutos secos, usa 300 ml de agua + 1 cuchara sopera de probióticos o directamente 300 ml de probiótico líquido (medidas siempre aproximadas), como rejuvelac, kefir de agua o kombucha.

  Saboriza la mezcla con zumo de limón, ajo en polvo, levadura nutricional, sal marina... y lo que se te ocurra, déjalo bien sabroso.

  Envuelve la mezcla en gasa doble de algodón, bolsa de nylon o paño de cocina y deja fermentar el queso suspendido de un gancho, cerca de una fuente de calor de 24 a 48 horas, según si es verano o invierno. También se puede poner sobre un colador y colocarle un peso encima.
- **Paso 2.** Saca la «masa de prequeso» a un cuenco. Condimenta el queso por dentro. Dale forma de queso humedeciéndote las manos para que no se te pegue o ponle borde si apetece.
- **Paso 3.** Ya tienes el «queso» listo para tu batch cooking refrigerado. Mantenlo bien envuelto en el frigorífico, en papel de horno, con papel film por encima y a ser posible dentro de un táper de cristal hermético o cubierto de aceite de oliva.

  Para una consistencia más firme, consérvalo en la nevera hasta el momento inmediato en que lo vayas a consumir.

  A medida que pase el tiempo, su sabor se intensificará, pues continúa curándose, ya que es un alimento vivo. Es un producto fermentado gracias a la acción de las bacterias bióticas. Por eso protege tu salud, al igual que cuida a los animales y el medio ambiente.

Recetas de quesos crudiveganos curados

(Prepáralas siguiendo el procedimiento anterior)

Queso dulce de arándanos deshidratados (sin borde)

200 g de levadura nutricional
50 g de sal del Himalaya
50 ml de zumo de limón
50 ml de agave
200 g de canela
200 g de arándanos rojos desecados (para condimentar por dentro en el paso 2)

Queso azul (sin borde)

200 g de levadura nutricional
50 g de sal del Himalaya
50 ml de zumo de limón
100 g de espirulina polvo (para condimentar por dentro en el paso 2)

Queso de tomate seco y pimentón

200 g de levadura nutricional
50 g de sal del Himalaya
50 ml de zumo de limón
200 g de tomate seco (para condimentar por dentro en el paso 2)
Para borde, 200 g de pimentón en polvo

Queso a la pimienta rosa

200 g de levadura nutricional
50 g de sal del Himalaya
50 ml de zumo de limón
200 g de ajo en polvo
200 g de cebolla en polvo
Para el borde, 200 g de bolas de pimienta rosa

Queso de aceitunas y romero

200 g de levadura nutricional
50 g de sal del Himalaya
50 ml de zumo de limón
100 g de aceitunas negras y 100 g aceitunas verdes (para condimentar por dentro en el paso 2)
Para borde, 200 g de romero seco

Queso cheddar al eneldo

200 g de levadura nutricional
50 g de sal del Himalaya
50 ml de zumo de limón
200 g de cúrcuma
200 g de ajo en polvo
Para borde, 200 g de eneldo seco

Queso de ajo y limón

200 g de levadura nutricional
50 g de sal marina
50 ml de zumo de limón
200 g de ajo en polvo
200 g de corteza de limón
Para borde, 100 g de ajo granulado seco

Dulces crudiveganos

A continuación, te ofrezco ideas Morenini para satisfacer tus necesidades de dulce, pero que en lugar de contener alimentos que acidifican el pH de la sangre, como huevos, lácteos y azúcar, se basan en alimentos ricos en ácidos grasos esenciales, vitamina E, hierro y calcio. El sabor y la textura son similares a los de los postres habituales de chocolate. No necesitas hornear ninguno de ellos, ni siquiera las tartas, basta con refrigerar.

Trufas de chocolate

INGREDIENTES

- 100 g de dátiles
- 100 g de nueces
- 50 g de cacao en polvo
- 50 g de coco rallado

PROCEDIMIENTO

Para preparar unas trufas de chocolate sin azúcar, sigue estos pasos:

- Remoja por separado la misma cantidad de dátiles que de nueces.
- Pasadas 4 horas, escurre los dátiles y reserva el agua de haberlos remojado.
- Quítales la semilla y resérvalos.
- Escurre y desecha el agua de haber remojado las nueces.
- Enjuágalas bien.
- Con ayuda del robot de cocina, tritura juntos las nueces y los dátiles, añadiendo unas gotas de agua del remojado de los dátiles.
- Refrigera la pasta resultante un par de horas. Después forma trufas redondas, pasa algunas por cacao en polvo y otras por coco rallado.

Falsa mousse de falso chocolate

INGREDIENTES

- 1 aguacate
- 75 g de cacao en polvo
- 50 g de sirope de agave
- 1 puñado de frambuesas frescas

PROCEDIMIENTO

Para preparar una mousse de chocolate sin azúcar y sin huevo, sigue los siguientes pasos:

- Bate un aguacate con un poco de cacao en polvo y sirope de agave al gusto.
- Una vez obtenida la «mousse de chocolate» disponla en copas de cristal y refrigérala un par de horas antes de servirla. En el momento de comerla puedes adornarla con frambuesas frescas.

Chocolate blanco

PROCEDIMIENTO

Paso 1. Atempera el endulzante al baño María.

Paso 2. Añádeselo a la manteca de cacao derretida también al baño María.

Paso 3. Añade el polvo de lúcuma (opcional).

Paso 4. Añade la sal del Himalaya.

Paso 5. Añade la harina de anacardos, almendras o coco.

Paso 6. Dispón la mezcla en un molde rectangular forrado con papel para hornear.

Paso 7. Refrigera de 2 a 4 horas para que se solidifique.

Paso 8. Corta en cuadraditos.

NOTA. Termina con una capa de frambuesas o cualquier otra fruta triturada y mezclada a partes iguales con parte de la mezcla del chocolate.

Ingredientes

8 c. s. de mantequilla de cacao derretida
8 c. s. de harina de anacardos (anacardos molidos), de almendras o de coco
2 c. s. de miel cruda blanca o agave muy blanco o stevia líquida para evitar colorear el blanco del chocolate
1 c. s. de lúcuma en polvo (opcional)
Una pizca de sal del Himalaya

Tableta de chocolate

PROCEDIMIENTO

Paso 1. Mezcla bien todo salvo el sirope y las bayas.

Paso 2. Añade el sirope y luego las bayas.

Paso 3. Extiende una capa fina sobre papel antiadherente, refrigera hasta que se endurezca.
No caduca.

Ingredientes

250 ml de manteca de cacao derretida
125 g de cacao en polvo
Vainilla en polvo al gusto
Canela en polvo al gusto
Nuez moscada en polvo al gusto
100 ml de sirope de agave/arce
Pasas y bayas de goji al gusto para decorar

Tarro de queso de macadamia con base de avellanas y mermelada de frutas

Ingredientes para 6 tarros

200 g de avellanas
100 g de dátiles
«Masa de prequeso» hecha remojando 12 horas, escurriendo y triturando 600 g de macadamias con unas gotas de zumo de limón
1 mango o cualquier otra fruta dulce triturada, como higos, chirimoya, caqui… o fruta ácida como frutos rojos mezclados con semillas de chía y stevia en polvo si te gusta más dulce
Unas hojitas de menta fresca

Paso 1. Tritura las avellanas, no muy pequeñas.

Paso 2. Añade los dátiles y sigue triturando hasta conseguir una masa.

Paso 3. Coloca la masa en un tarro con cierre de palanca, tratando de que quede lo más compacto y fino posible.

Paso 4. Introduce en su interior el queso de nueces de macadamia.

Paso 5. Añade la mermelada crudivegana o también puedes añadir la fruta entera o en trozos por encima directamente.

Paso 6. Decora con avellanas enteras y menta fresca.

Turrón de chocolate de Navidad

Ingredientes

120 g de manteca de cacao derretida
60 g de cacao en polvo tamizado
100 ml de sirope de arce/agave
Sal marina al gusto
Vainilla en polvo al gusto
200 g de trigo sarraceno activado
y deshidratado

PROCEDIMIENTO

Paso 1. Ve mezclando los ingredientes en el orden propuesto.

Paso 2. Dispón la mezcla en un molde rectangular forrado con papel para hornear.

Paso 3. Refrigera de 2 a 4 horas para que se solidifique.

Paso 4. Corta en cuadraditos. No caduca.

Turrón de chocolate crujiente

PROCEDIMIENTO

Paso 1. Muele los nibs y el azúcar.

Paso 2. Amasa con el resto de los ingredientes.

Paso 3. Coloca en un molde y deja enfriar.

Paso 4. Corta en cuadraditos. No caduca.

Ingredientes

250 g de nibs de cacao
250 g de azúcar de coco
500 g de dátiles Medjoul
150 g de trigo sarraceno activado y deshidratado
1 c. c. de vainilla en polvo

Fudge o los famosos Moreninis

Ingredientes

400 gramos de tahini crudo (o pasta de almendras o pasta de avellanas, o mezcla de ambas)
120 ml de aceite de coco fundido
120 ml de manteca de cacao fundida
100 gramos de cacao en polvo tamizado
150 ml de sirope de agave/arce
1 c. c. de canela
Una pizca de sal

PROCEDIMIENTO

Paso 1. Mezcla todos los ingredientes en un cuenco de cristal con unas varillas.

Paso 2. Dispón la mezcla en un molde rectangular forrado con papel para hornear.

Paso 3. Refrigera de 2 a 4 horas para que se solidifique. Corta en cuadraditos.

Dura en la nevera eternamente, hasta que te los comes.

Moreninis blancos

PROCEDIMIENTO

Paso 1. Mezcla todos los ingredientes en un cuenco de cristal con unas varillas.

Paso 2. Dispón la mezcla en un molde rectangular forrado con papel para hornear.

Paso 3. Refrigera de 2 a 4 horas para que se solidifique.

Paso 4. Corta en cuadraditos.

Dura en la nevera eternamente, hasta que te los comes.

Ingredientes

200 g de tahini blanco crudo
120 ml de manteca de cacao fundida
40 g de harina de anacardos
80 ml de agave o stevia líquida, de manera que no se coloree el color blanco
½ c. c. de vainilla
Una pizca de sal

Mousse de chocolate

Ingredientes para 4 cuencos pequeños

Para el sirope de dátiles:
25 g de dátiles deshuesados y remojados en agua durante al menos 2 horas

Ingredientes húmedos:
250 ml de leche de almendras
50 ml de aceite de coco derretido
50 ml de sirope de agave/arce

Ingredientes secos:
1 c. s. de cacao en polvo tamizado
Una pizca de sal marina
1 c. c. de canela en polvo
1 c. c. de vainilla en polvo

PROCEDIMIENTO

Paso 1. Prepara el sirope de dátiles.

Paso 2. Mezcla los ingredientes húmedos con el sirope de dátiles hasta formar una crema ligera.

Paso 3. Mezcla los ingredientes secos y añádelos poco a poco al cuenco con los ingredientes húmedos hasta formar la mousse.

Paso 4. Dispón en 4 copas o cuencos pequeños y refrigera un mínimo de 1 hora (mejor toda la noche), hasta que quede firme y con la textura esponjosa de una mousse de chocolate tradicional.

Nutella

PROCEDIMIENTO

Mezcla todos los ingredientes en un cuenco con la ayuda de unas varillas y en el orden propuesto.

Ingredientes

250 g de pasta de avellanas
1 c. s. de cacao en polvo
125 ml de sirope de arce/agave
Una pizca de sal marina

Brownie

Ingredientes

200 g de nueces
100 g de avellanas
75 g de cacao en polvo tamizado
20 dátiles sin hueso, remojados en agua (o zumo de mandarina o agua con aceite esencial...) durante 1-2 horas
5 cucharadas soperas de sirope de agave/arce
Una pizca de sal marina
Canela en polvo al gusto
Vainilla en polvo al gusto
Unas gotas de agua

PROCEDIMIENTO

Paso 1. Con ayuda de la picadora, tritura juntos todos los ingredientes hasta que quede una pasta homogénea, pero con trozos de avellanas y nueces.

Paso 2. Pon en el molde que desees y refrigera 2 horas, para que se endurezca, antes de comer.

Tarta de chocolate negro y naranja

Ingredientes para 6 raciones

Para la base:
175 g de cacao en polvo
50 g de nueces molidas
100 g de harina de almendras
75 ml de aceite de coco derretido

Para el relleno:
400 g de cacao en polvo tamizado
25 dátiles remojados en 350 ml de zumo de naranja
175 ml de aceite de coco derretido

Para la decoración:
Ralladura de naranja

PROCEDIMIENTO

Paso 1. Para formar la base, mezcla todos los ingredientes con la ayuda de la batidora o Vitamix.

Paso 2. Dispón la base sobre la fuente elegida, sobre un papel film, para evitar que se pegue.

Paso 3. Para formar el relleno, bate bien todos los ingredientes y disponlos sobre la base.

Paso 4. Decorar con la ralladura de naranja.

Paso 5. Refrigera hasta que se solidifique, como 1 hora. Sirve.

Chocolate a la taza

PROCEDIMIENTO

Triturar con la batidora de vaso.

Ingredientes

Receta de nutella

Agua caliente al gusto

Tarta de manzana

Ingredientes para 6 raciones

Para la base:
200 g de nueces
100 g de dátiles deshuesados
Una pizca de canela molida
Una pizca de sal marina o del Himalaya

Para el relleno:
6 manzanas, peladas, descorazonadas y cortadas en láminas finas
El zumo de un limón
2 c. c. de canela molida
200 g de dátiles deshuesados
100 ml de sirope de agave
Una pizca de sal marina o del Himalaya

Paso 1. Tritura y dispón en un molde redondo de 22 cm diámetro (base removible) los ingredientes para la base.

Paso 2. Para el relleno, mezcla todos los ingredientes y añádelos a la base.

Paso 3. Refrigera antes de servir.

Tarta de moras y mango

Paso 1. Tritura y dispón en un molde redondo de 22 cm diámetro (base removible) los ingredientes para la base.

Paso 2. Refrigérala mientras se prepara el relleno.

Paso 3. Para el relleno, prepara una salsa cremosa de moras con los ingredientes propuestos.

Paso 4. Añade la salsa a la base que hemos preparado anteriormente y refrigera hasta que solidifique.

Paso 5. Decora con cobertura de mango, que se prepara simplemente con un mango batido. Le puedes añadir un poco de aceite de coco para que solidifique mejor. Refrigera y sirve.

Ingredientes para 6 raciones

Para la base:
2 tazas de harina de almendras
2 tazas de dátiles deshuesados
Una pizca de canela molida y una pizca de sal marina o del Himalaya
1 c. s. de sirope de arce
1 c. s. de aceite de coco

Para el relleno:
½ taza de mantequilla de almendras o de tahini
½ taza de moras frescas o congeladas
½ taza de aceite de coco

Para la decoración:
1 mango batido
Aceite de coco (opcional)

Bizcochos, magdalenas, barritas energéticas y creps

Los bizcochos húmedos y las magdalenas se preparan con harina de almendras, harina de coco, harina de lino o pulpa de zanahoria... porque el resultado final no es compacto, sino húmedo.

Todas las recetas que siguen pueden prepararse como bizcochos o como magdalenas según si la masa la vertemos en un molde tipo plum cake o en moldes de magdalenas o muffins.

Las barritas energéticas van en crudo. Si las tienes mucho tiempo fuera de la nevera, acaban ablandándose demasiado.

Los crepes pueden ir al horno o a la sartén, aunque aquí te damos también la opción de deshidratarlos. Si los haces en el horno, calcula unos 30 minutos. En la sartén bastarían 5 minutos para cada lado.

Bizcocho vegano

Ingredientes

125 g de harina de coco
125 g de harina de almendras
2 mandarinas, 1 manzana, 1 pera o un trozo de piña fresca triturada
200 g de zanahoria pelada y rallada
200 g de calabacín pelado y rallado
125 g de semillas de lino o chía recién molidas
100 ml de aceite de oliva o de aceite de girasol virgen extra
200 g de azúcar de coco
1 pizca de sal marina
1 sobre de levadura integral de panadería

Ingredientes opcionales:
1 c. s. de canela molida
1 c. s. de jengibre en polvo
1 c. c. de clavo molido
½ c. c. de nuez moscada molida
1 c. c. de ralladura de limón
Un puñado de pasas

PROCEDIMIENTO

Paso 1. Bate juntos todos los ingredientes.

Paso 2. Vierte la masa en un molde forrado con papel de hornear, dejarla reposar un par de horas y alísala.

Paso 3. Hornea alrededor de 1:15 horas a 175 °C, o hasta que lo pinches y el cuchillo salga limpio.

Paso 4. Saca del horno y deja en el molde, sobre una rejilla, hasta que se enfríe. Espera a que esté frío antes de cortarlo.

Sugerencia. Si no tienes calabacín, puedes hacer un bizcocho sólo de zanahoria poniendo 400 g de zanahoria rallada en lugar de 200 g de zanahoria y 200 g de calabacín. También queda muy bueno sólo con calabacín, da un resultado espectacular. El bizcocho queda mucho más jugoso con parte de calabacín, porque el calabacín es rico en agua.

CONSERVACIÓN

Se conserva hasta dos semanas en la nevera, sin embargo, se va resecando poco a poco. Si prevés que no vas a consumirlo entero, córtalo en trocitos y congélalos individualmente. Para descongelarlo, ponlo en el frigorífico durante un día entero. Si se deja fuera del frigorífico en verano, se puede secar mucho.

Sugerencias de consumo. Ideal como desayuno o merienda o para cuando sientas ganas irresistibles de comer dulces.

Consejo nutricional. Ideal para personas con un alto rendimiento físico, que necesiten de un gran aporte energético (deportistas, niños, embarazadas), así como para quienes tengan debilidad por los dulces y quieran saciar su necesidad física o psicológica de azúcar con un postre sano.

Bizcocho de zanahoria con crema de limón

PROCEDIMIENTO

Paso 1. Forra con papel de hornear un molde redondo tipo tarta, cuadrado o rectangular tipo plum cake.

Paso 2. Con ayuda del robot de cocina, prepara una masa con los ingredientes para la base.

Paso 3. Dispón la masa en el molde y aplánala bien.

Paso 4. Prepara la crema de limón con la batidora. Si lo necesitas, añade un poco de agua para aumentar la cremosidad.

Paso 5. Coloca la crema sobre la base de zanahoria dando golpecitos para que se esparza bien.

Paso 6. Decora con ralladura de naranja o limón.

Paso 7. Refrigera unas 2 horas mínimo antes de servir.

Ingredientes para 8/10 raciones

Para la base de zanahoria:
250 g de nueces remojadas 6-8 horas y escurridas
500 g de zanahoria rallada
6 dátiles Medjoul deshuesados
1 c. c. de jengibre fresco rallado
1 c. c. de canela en polvo
½ c. c. de nuez moscada

Para la crema de limón:
200 g de anacardos remojados 6-8 horas y escurridos
50 ml de sirope de agave de calidad
Ralladura de 1 limón
El zumo de ½ limón
50 ml de aceite de coco en su versión líquida
Para decorar:
La ralladura de 1 naranja o de 1 limón

Barritas energéticas

Ingredientes

500 g de harina de almendras
200 g de pasta de higos o dátiles
100 ml de manteca de cacao derretida al baño María
1 c. s. de jengibre fresco rallado
1 c. c. de canela en polvo
1 c. c. de clavo molido
1 c. c. de nuez moscada rallada

PROCEDIMIENTO

Paso 1. Prepara la pasta de higos o dátiles triturando 200 g de fruta desecada con 200 ml de agua en la que se han estado remojando durante 24 horas.

Paso 2. Dispón todos los ingredientes en el procesador de alimentos.

Paso 3. Mezcla bastamente hasta que consigas una masa.

Paso 4. Extiéndela en una bandeja de horno rectangular forrada con papel de hornear de manera que el grosor sea de 1 cm.

Paso 5. Refrigera de 6 a 8 horas y córtala en barritas.

Crepes

PROCEDIMIENTO

Paso 1. Para la masa, tritura todos los ingredientes.

Paso 2. Reparte la masa bien fina en 2 bandejas del deshidratador, y deshidrata 4 horas, dale la vuelta y déjalo unas 4 horas más. Es importante que sea moldeable. Con una tijera divide cada bandeja en 4 porciones.

Paso 3. Rellena con lo que más te guste.

Paso 4. Forma un rollo y sirve, cortándolo según el tamaño que desees.

Ingredientes para 8 crepes

400 g de manzana
100 g de lino (remojado en agua por una noche)
2 c. s. de aceite de coco
1 c. c. de sal

Relleno: Cualquier mermelada o compota con nata crudivegana y trocitos de fruta fresca.

Compotas, salsas de frutas, mermeladas y chutneys

Compota de frutas crudivegana

Tritura una fruta fresca con fruta desecada previamente remojada unas 4 horas y añade o no el agua del remojo, según quieras una compota o una mermelada. Añade unas gotas de zumo de limón. Se conservará hasta 5 días en la nevera.

Compota	Fruta fresca	Fruta desecada
De pera	Peras	Higos secos remojados
De manzana	Manzanas con piel	Dátiles remojados

Salsa de frutas

Compota	Fruta fresca	Fruta desecada	Agua del remojado
De pera	Peras	Higos secos remojados	Toda
De manzana	Manzanas con piel	Dátiles remojados	Toda

Mermelada de frutas

Como la salsa de fruta, pero añade menos agua del remojado y juega con texturas: bate muy bien una mitad de la preparación y bate bastamente la otra mitad. Mezcla ambas.

Compota de manzana y pera

Ingredientes para 1-2 raciones

1 manzana
1 pera
2 ciruelas secas deshuesadas
1 rama de canela
2 clavos de olor
Una pizca de sal marina
1 vaso de agua filtrada

PROCEDIMIENTO

Paso 1. Pica en dados las frutas sin pelarlas (si son ecológicas).

Paso 2. Pica las ciruelas secas en cuatro trozos cada una.

Paso 3. Pon todos los ingredientes en la cazuela.

Paso 4. Añade un vaso de agua filtrada.

Paso 5. Cocina todo junto hasta que todos los ingredientes se integren en una especie de mermelada.
Dura 4 días en la nevera.

NOTA. Puedes añadirle zumo de limón una vez cocinada.

Compota de pera, manzana y albaricoques

Ingredientes para 1-2 raciones

1 manzana
1 pera
4 albaricoques
1 rama de canela
2 clavos de olor
Una pizca de sal marina
1 vaso de agua filtrada

PROCEDIMIENTO

Paso 1. Pica en dados las frutas sin pelarlas (si son ecológicas).

Paso 2. Pon todos los ingredientes en la cazuela.

Paso 3. Añade un vaso de agua filtrada.

Paso 4. Cocina todo junto hasta que todos los ingredientes se integren en una especie de mermelada.
Dura 4 días en la nevera.

NOTA. Puedes añadirle zumo de limón una vez cocinada.

Compota de manzana crujiente

Ingredientes para 4 raciones

2 manzanas
100 ml de sirope de agave de calidad
2 c. s. de almendras, bastamente molidas
2 c. s. de avellanas, bastamente molidas
2 c. s. de orejones, en trocitos
3 c. s. de pasas sin hueso
2 c. c. de canela en polvo
1 c. c. de vainilla en polvo

PROCEDIMIENTO

Paso 1. Lava y corta las manzanas en finas láminas con ayuda de la mandolina.

Paso 2. Disponlas en un cuenco grande y echa encima los demás ingredientes.

Paso 3. Mezcla el conjunto con las manos formando galletas.

Paso 4. Deshidrata las galletas a 40 °C (105 °F) durante 12 horas o más.

Chutney de manzana, moras y canela

PROCEDIMIENTO

Paso 1. Pica la cebolla en juliana.

Paso 2. Sofríe a fuego muy lento hasta que esté blanda.

Paso 3. Añade el azúcar de coco, el vinagre balsámico y la canela en polvo y cuece durante 45 minutos.

Paso 4. Añade las moras y cuece 15-20 minutos más.
El chutney se puede guardar en la nevera en botes esterilizados con cierre de palanca y dura 2 meses.

Ingredientes para 2 tarros de 500 g

500 g de manzanas peladas, despepitadas y cortadas en trozos
150 g de cebolla morada
130 g de azúcar de coco
75 g de vinagre balsámico
1 c. s. de canela en polvo
200 g de moras frescas
Pimienta negra

Chutney de naranja y jengibre con canela

Ingredientes para 2 tarros de 500 g

750 g de naranjas troceadas con su piel
1 cebolla picada finamente en láminas
1 rama de canela
1 c. s. de jengibre
200 ml de vinagre de manzana
100 ml de agua
100 g de azúcar de coco
1 c. c. de sal marina
12 granos de pimienta rosa

PROCEDIMIENTO

Paso 1. Echa todos los ingredientes en una cazuela, cuece a fuego bajo 40 minutos y enfría.

El chutney se puede guardar en la nevera en botes esterilizados con cierre de palanca y dura 2 meses.

Panes y crackers

Las recetas que vas a ver a continuación están perfeccionadas durante más de 20 años.

El pan integral, con sus variantes, constituye una masa que siempre sale bien y que es muy sencilla de preparar.

Los crackers, por su parte, sólo presentan una dificultad: debes extenderlos uniformemente. Para ello, humedece una espátula de silicona en agua cuando la masa comience a pegarse a la silicona, vuelve a humedecerla, y así hasta que extiendas toda la masa.

Crackers de semillas

Ingredientes

1 parte de semillas de lino x 2 partes de agua

PROCEDIMIENTO

Deja en remojo durante 3 horas y dales sabor:

Para darle sabor de nachos: Tritura y añade tomates frescos, cilantro, zumo de lima, pimiento, pimienta y sal.

Para darle sabor mediterráneo: Tritura y añade tomates frescos, albahaca, aceitunas negras, ajo, pimienta y sal.

También se pueden mezclar semillas entre sí, por ejemplo, lino y girasol, activando previamente el girasol (es decir, remojándolo aparte del lino y escurriendo después el agua), aunque esto añade complejidad a la combinación de alimentos.

Las cantidades quedarían así y se remoja todo el conjunto durante 3 horas:

1 parte de semillas de lino x 2 partes de agua

Puede cambiarse la proporción de agua si se añade una fruta/verdura neutra acuosa. Ejemplos:

1 parte de semillas de lino x 1 parte de agua + 1 calabacín triturado

1 parte de semillas de lino x 1 parte de agua + 1 manzana triturada

1 parte de semillas de lino x 1 parte de agua + 1 pimiento triturado

Paso 1. Forra una bandeja de horno con papel de hornear.

Paso 2. Extiende bien la mezcla para que no supere medio centímetro de grosor.

Paso 3. Hornea a 175-200 °C hasta que quede crujiente.

Paso 4. Enfría sobre una rejilla.

Paso 5. Corta en cuadrados irregulares con la mano.
Conservar en un táper de cristal en el frigorífico cerrado hermético.
No caduca.

Pan integral

PROCEDIMIENTO

Paso 1. En un cuenco grande, mezcla las harinas con la levadura o el bicarbonato y la sal.

Paso 2. Añade el agua. Mezcla bien con la pala de madera, añadiendo más agua si fuera necesario, pues la cantidad de agua variará en función de la humedad del ambiente y de la calidad de las harinas.

Paso 3. Tapa el cuenco con film transparente o un paño de cocina y deja fermentar el pan al menos 2 horas e idealmente 3 días; si es posible, cerca de una fuente de calor, por ejemplo al sol del mediodía, junto al calor de la chimenea, al lado de un radiador o cerca de la placa de vitrocerámica después de haberla usado para otras preparaciones.

Paso 4. Transcurrido este tiempo, dispón la masa en un molde de tipo plum cake, sobre un papel para hornear.

Paso 5. Humedécete ligeramente las manos y aplana la superficie.

Paso 6. Espolvorea la superficie con semillas.

Paso 7. Haz unas marcas transversales sobre la superficie con un cuchillo húmedo. De este modo saldrá el vapor hacia afuera sin romper la superficie.

Paso 8. Introduce el molde al horno previamente precalentado a 220 °C, durante 25 minutos, para formar la costra.

Paso 9. Transcurrido este tiempo, sin abrir el horno, baja el calor a 175 °C y sigue horneando durante 35 minutos.

Paso 10. Saca el pan del horno, desmóldalo, y déjalo enfriar sobre una rejilla. Cuando se enfríe, ya se puede cortar y comer.

Ingredientes

Masa básica:

500 g de harina integral de trigo sarraceno (o también 150 g de harina integral de maíz + 150 g de harina de trigo sarraceno)
375 ml de agua templada a unos 40 °C
1 cucharada de levadura integral de panadería o de bicarbonato
1 cucharada de sal marina atlántica

Pan de pasas y nueces
1 puñado de pasas
1 puñado de nueces

Pan de ciruelas o de orejones
1 puñado de ciruelas y/o de orejones

Pan de semillas
1 puñado de semillas de lino
1 puñado de semillas de calabaza
1 puñado de semillas de girasol

Pan de especias
1 puñado de semillas de comino
1 puñado de semillas de anís

Pan de tomate
En este caso, sustituir el agua por tomate natural triturado
1 c. s. de orégano seco
1 diente de ajo

Pan de tomate seco
2-3 cucharadas de tomate seco en aceite de oliva

Pan de aceitunas
1 puñado de aceitunas negras y/o verdes
1 c. s. de orégano seco
1 diente de ajo

Pan de cebolla
2-3 cebollas pochadas en aceite de oliva

CONSERVACIÓN

Aguanta hasta una semana en la nevera, pero se va resecando. Puedes congelar lo que no vayas a consumir, tanto entero como en rebanadas. Para descongelarlo, basta con sacarlo la noche anterior o sacarlo directamente y tostarlo.

Sugerencias de consumo

Si se corta recién hecho, se suele romper y apelmazar.

Consejo nutricional

Este pan es muy contundente y no conviene abusar de él. En sí mismo, puede constituir una comida si se consume acompañado de una ensalada verde, de una crema de verduras o de unas verduras al vapor.

También como desayuno rápido con un poco de aceite de oliva y tomate.

Si prefieres prepararte un tentempié o una comida rápida, puedes untarlo con aguacate, tomate y semillas de chía; e incluso puedes ponerle encima un huevo a la plancha o escalfado, y unas hojitas de rúcula; germinados y rabanitos con huevo cocido.

Anexo

Bibliografía

Libros consultados y recomendados

AA. VV.: *La gran guía de la composición de los alimentos.* RBA Integral, Barcelona, 2005.

AA. VV.: *Los zumos de verduras.* Libérica.

Acuff, J.: *¡Termina! Regálate el don de hacer las cosas.* Aguilar, Madrid, 2018.

Alt, C. y Roth, D.: *The raw 50.* Random House, Nueva York, 2007.

Amsden, M.: *Rawvolution.* William Morrow, HarperCollins, Nueva York, 2006.

Bizkarra, K.: *El poder curativo del ayuno.* Editorial Desclée de Brouwer, Bilbao, 2007.

Boutenko, V.: *Smoothie: La revolución verde.* Gaia Ediciones, Móstoles, Madrid, 2012.

Bradford, M.: *Las verduras del mar: algas, los nutritivos tesoros marinos para la salud y el paladar.* Editorial Océano, Barcelona, 2003.

Brotman, J. y Lenkert, E.: *Raw, the uncook book.* HarperCollins, Nueva York, 1999.

Campbell, T. C.: *El estudio de China.* Sirio, Málaga, 2012.

Capalino, D.: *The microbiome diet plan: Six weeks to lose weight and improve your gut health.* Rockdrige Press, Emeryville, California, 2017.

Cichoke, A. J.: *Enzymes, the sparks of life.* Books Alive, Richmond, Vancouver, 2002.

Clement, B. R.: *Hippocrates Life Force.* Healthy Living Publications, Summertown, Tennessee, 2007.

Cornbleet, J.: *Raw Food made easy, for 1 or 2 people.* Book Publishing Company, Summertown, Tennessee, 2005.

Cousens, G.: *Conscious Eating.* North Atlantic Books, Berkeley, California, 2000.

—: *Rainbow Green Live-Food Cuisine.* North Atlantic Books. Berkeley, California, 2003.

—: *Rainbow Green Live-Food Cuisine. Additional Recipes,* vol. I. Tree of Live Fundation. 2004.

Cuevas Fernández, O.: *El equilibrio a través de la alimentación.* Sorles, Valdelafuente, León, 2003.

Davis, B.; Melina, V. y Berry, R.: *Becoming Raw, the essential guide to raw vegan diets.* Book Publishing Company, Summertown, Tennessee, 2010.

De Paz, M.: *Digerir la vida: mejora tu digestión bocado a bocado.* Plataforma Editorial, Barcelona, 2017.

Di Leonardo, M.; Inglis, M. y Invermizzi, L.: *RAW! Healthful Recipes from the Farm at San Benito.* Talisman Publishing, Singapur, 2011.

Elliott, A.: *Alive in 5: Raw gourmet meals in five minutes*. Book Publishing Company, Summertown, Tennessee, 2007.

Engelhart, T.: *I am grateful, recipes & lifestyle of Café Gratitude*. North Atlantic Books, Berkeley, California, 2007.

Faulkner, J.: *The unfired food diet simplified.* CreateSpace Independent Publishing Platform, 2009.

Fernández, O.: *Mis recetas anticáncer.* Ediciones Urano, Madrid, 2013.

Ferrara, S. A.: *The raw food primer*. Council Oak Books, San Francisco, California, 2003.

Fiszbein, V.: *Salud intestinal, la clave para estar en forma.* Ediciones Obelisco, Barcelona, 2009.

Graham, D. N.: *The 80/10/10 diet.* FoodnSport Press. 2006.

Grotto, D.: *101 alimentos que pueden salvarte la vida*. Ediciones Urano, Madrid, 2009.

Gundry, S. R.: *La paradoja vegetal.* Edaf, Madrid, 2017.

Heat, Ch. y Heat, D.: *Cambia el chip: Cómo afrontar cambios que parecen imposibles.* Grupo Planeta, Gestión 2000, Madrid, 2011.

Hiromi, S.: *La enzima para rejuvenecer.* Aguilar, Madrid, 2013.

Jon, G.: *El método Gabriel.* Ediciones Urano, Madrid, 2010.

Junger, A. y Greeven, A.: *Clean.* Harper Collins, Nueva York, 2009.

Kämmerer, U.; Schlatterer, Ch. y Knoll, G.: *Nutrición cetogénica contra el cáncer.* Editorial Sirio, Málaga, 2017.

Kenney, M. y Melngailis, S.: *Raw food real world.* Harper Collins, Nueva York, 2005.

Knight, R.: *Desde tu intestino*. Empresa Activa, Madrid, 2016.

Knudsen, L.: *La clave está en la digestión.* Grijalbo Ilustrados, Barcelona, 2017.

Koch, J.: *Clean Plates*. Craving Wellness, N.Y.C. 2009.

Maerin, J.: *Raw Foods for busy people.* 2004.

Magic Wood, K.: *Raw Magic.* Rawcreation, Norwich, Norfolk, 2008.

Mars, B.: *Rawsome!* Basic Health Publications, Laguna Beach, California, 2004.

Matveikova, I.: *Bacterias. La revolución digestiva.* La Esfera de los Libros, Madrid, 2018.

—: *Inteligencia digestiva.* La Esfera de los Libros, Madrid, 2011.

Mayer, E.: *Pensar con el estómago.* Grijalbo, Barcelona, 2017.

Melgar, L. T.: *El gran libro de los remedios naturales.* Libsa Editorial, Alcobendas, Madrid, 2007.

Melngailis, S.: *Living raw food.* William Morrow, Nueva York, 2009.

Mercola, J.: *Contra el cáncer.* Grijalbo Vital, Barcelona, 2017.

Monarch, M. J.: *Raw Spirit, what the raw food advocates don't preach.* Monarch Publishing Company, Nueva York, 2005.

—: *Raw success, the key to 100 % raw vegan longevity.* Monarch Publishing Company, Nueva York, 2007.

MORENO, A.: *Flexivegetarianos.* Ediciones Obelisco, Barcelona, 2014.

—: *Liquidariano.* Ediciones Obelisco, Barcelona, 2015.

—: *Hambre de amor.* Ediciones Obelisco, Barcelona, 2016.

—: *Comer con mindfulness.* Ediciones Obelisco, Barcelona 2017.

—: *Fermentados vegetales.* Ediciones Obelisco, Barcelona, 2018.

—: *Fin de semana depurativo para flexivegetarianos.* Ediciones Obelisco, Barcelona, 2019.

NAGUMO, Y.: *Un día. Una comida: El método japonés para estar más saludable, prevenir enfermedades y rejuvenecer.* Zenith, Madrid, 2016.

OUDOT, C.: *Germinados: vitaminas, salud y sabor.* Somoslibros, Bacelona, 2010.

PADDEN JUBB, A. y JUBB, D.: *Life Food Recipe Book, living on life force.* North Atlantic Books, Berkeley, California, 2003.

PHYO, A.: *Ani's raw food desserts.* Da Capo Lifelong Books, Boston, Massachusetts, 2009.

PITCHFORD, P.: *Healing with whole foods.* North Atlantic Books, Berkeley, California, 1993, 1996, 2002.

ROBBINS, J.: *Diet for a new American.* H J Kramer, Novato, California, 2013.

RODWELL, J.: *The complete book of raw food.* Hatherleigh, Nueva York, 2004-2008.

ROMÁN, D.: *Leche que no has de beber.* Mandala Ediciones, Madrid, 2008.

—: *Niños veganos, felices y sanos.* 2008.

ROSE, N.: *Detox for women.* HarperCollins Books, Nueva York, 2009.

—: *Emotional Eating S.O.S!* 2010.

—: *Raw Food life force energy.* HarperCollins, Nueva York, 2007.

—: *The raw food detox diet.* HarperCollins, Nueva York, 2005.

RUSSO, R.: *The raw food, Diet Myth.* DJ Iber Publisher, Bethlehem, Pensilvania, 2008.

SAKOUTIS, Z. y HUSS, E.: *The 3-day cleanse.* Hachette Book Group, Nueva York, 2010.

SAMSÓ, R.: *Taller de amor.* Books4pocket, Madrid, 2007.

SAVINI, N.: *Vegan and Living Raw food.* Hermes Publishing Co. 2011.

SCHENCK, S.; AVERY, B.; BOUTENKO, V.; VETRANO, V. V. y BIDWELL, V.: *The live Food Factor.* Awakenings Publications, Swansea, 2006, 2008-2009.

SHANNON, N.: *The Raw Gourmet.* Books Alive, Richmond, Vancouver, 1999-2004.

SHARMA, R.: *El club de las 5 de la mañana.* Grijalbo, Barcelona, 2019.

SHELTON, P.: *Raw Food Cleanse.* Ulysses Press, Berkeley, California, 2010.

ST. LOUIS, E.: *Raw Food and Health.* Kessinger Publishing, Whitefish, Montana, 2007.

VASEY, CH.: *The acid-alkaline diet for optimum health.* Healing Arts Press, Rochester, Vermont 1999.

WHEATER, C.: *Zumos para una vida sana.* Ediciones Robinbook. Teià, Barcelona 2004.

Wigmore, A. y Pattison, L.: *The Blending Book.* Penguin Putnam, Londres, 1997.
—: *Restaure su salud.* Instituto Ann Wigmore, Puerto Rico, 1991.
—: *The Hippocrates diet and health program.* Avery, Nueva York, 1984.
Wilhelmi de Toledo, F.: *El ayuno terapéutico Buchinger.* Editorial Herder, Barcelona 2003.
Wolfe, D.: *Eating for beauty.* North Atlantic Books, Berkeley, California, 2007, 2009.
—: *The sun food diet success system.* North Atlantic Books; 7.ª ed., 2008.
Wood, K.: *Eat smart, eat raw. Detox recipes for a high energy diet.* Grub Street, Londres, 2002.
Young, R.: *La milagrosa dieta del pH.* Ediciones Obelisco, Barcelona, 2012.

Para saber más

La Escuela de Cocina Ana Moreno ofrece los siguientes cursos *online* y presenciales:

- **Curso *online* Para vegetarianos «muy verdes».** ¿Estás dando tus primeros pasos? ¿Tienes muchas dudas? Esta formación es para ti, aunque no quieras ser vegetariano, tu objetivo prioritario es vegetarianizar tu dieta.
https://escueladecocinavegetariana.com/v-verde

- **Curso *online* de Batch cooking.** Diseña tu propia dieta ideal semanal basándote en el plato saludable de Harvard y en la combinación de alimentos. Después aprende a cocinarlo todo en sólo 3-4 horas. Recetas y estructura, no se trata de cocinar de más, sino de atender tus necesidades nutricionales.
https://escueladecocinavegetariana.com/batch-cooking-online

- **Curso *online* #Ketosincarnenilacteos.** Si conoces los beneficios de la alimentación cetogénica, pero no quieres comer carne ni lácteos porque son alimentos dañinos, porque no te gustan y porque no quieres que estén presentes en tu dieta..., la alternativa es la KETO SIN CARNE NI LACTEOS. Recetas y base teórica.
https://escueladecocinavegetariana.com/keto

- **Curso *online* Fermentados vegetales.** Chucrut, kimchi, veggiecrut, kombucha, kéfir de agua, kvass de remolacha, rejuvelac, yogur de coco, yogur de macadamia, queso de anacardos para untar, garbanzos fermentados... protocolo para regenerar flora intestinal y respuesta a todas las dudas sobre fermentación.
https://escueladecocinavegetariana.com/fermentados-vegetales/

- **Máster *online* en Cocina Vegetariana y Crudivegana.** El único máster del mercado que te convierte en un experto en alimentación vegetariana y que puedes hacer desde tu casa. Incluso te capacita para asesorar a otras personas.
https://escueladecocinavegetariana.com/master-cocina-vegetariana-nivel-1/

- **Máster presencial en Cocina Vegetariana (Madrid, España).** Un paso más allá. 15 días presenciales que transformarán completamente tu vida. Y no lo digo yo, lo dicen los propios alumnos de las casi 25 ediciones que llevamos. Incluye una depuración de 7 días.
https://escueladecocinavegetariana.com/sobre-el-master-de-alimentacion-vegetariana/

- **¿Te apetece desconectar un fin de semana, depurarte y conocer gente maravillosa?**
  En el hotel rural depurativo La Fuente del Gato (Madrid, España), organizamos fines de semana depurativos cada mes. Te encantarán.
  https://escueladecocinavegetariana.com/finde-depurativo/

- Cursos presenciales en el **hotel rural La Fuente del Gato** (Madrid), de la mano de Ana Moreno. Los cursos tienen una duración de 8 horas e incluyen:
  – Curso de 8 horas impartido por Ana Moreno
  – Dosier en PDF
  – Un 1.er desayuno detox
  – Un 2.º desayuno caliente
  – Bufé ecológico, vegano y gluten *free* para comer
  · Curso de Fermentados Vegetales
  · Curso de Batch Cooking
  · Curso de Depuración para Flexivegetarianos

- Servicios de Consultoría Premium con Ana Moreno.
  – CONSULTORÍA PERSONALIZADA DE ALTO NIVEL
  www.escueladecocinavegetariana.com/consultoria
  – COCINA CONMIGO TU BATCH COOKING PERSONAL
  www.escueladecocinavegetariana.com
  – CONSULTORÍA TELEFÓNICA
  www.escueladecocinavegetariana.com/consultoria-telefonica

Proveedores recomendados

Proveedores ecológicos de fruta, verdura y huevos. Compra *online*. Envío a domicilio a península.

- **Agricultura Védica Maharishi,** Frigiliana (Málaga)
  www.agriculturavedicamaharishi.org/
- **Bio Trailla** (Navarra)
  www.trailla.es/

Proveedores ecológicos de ingredientes de fondo de despensa.

- **Agricultura Védica Maharishi,** Frigiliana (Málaga)
  www.agriculturavedicamaharishi.org/ Compra *online*. Envío a domicilio a península.
- **Casa Ruiz Granel** (Madrid y Barcelona)
  https://casaruizgranel.com/ Compra a granel. También telefónica. Reparto a domicilio en bici.
- **Conasi**
  www.conasi.eu/ Tienda *online* de ingredientes ecológicos de fondo de despensa para una cocina natural.
  Código de descuento por ser alumno de Ana Moreno: ANAMORENO-CNS
- **Mama Kokore** (Madrid)
  www.mamakokore.com, te envían tartas veganas sin gluten (o porciones) a domicilio, de un día para otro. Ideal para los momentos en los que necesitas dulces.

Proveedores de utensilios y electrodomésticos

- **Conasi**
  www.conasi.eu/ Tienda de cocina natural y electrodomésticos de todo tipo (por ejemplo, buenas batidoras como la Personal Blender PB-150, bolsas para preparar leches vegetales que nos sirven para cocer 2 tipos de granos distintos a la vez en la misma olla o bolsa para conservar vegetales en la nevera Vejibag).
- **Amazon**
  BioChef NutriBoost Bullet Blender. Batidora superpotente de 900 vatios. Limpia, rápida y eficiente.

- **Codis Verd**
  www.codisverd.com/ Electrodomésticos interesantes *online* como el magnífico horno de vapor «vitalizador».
- **IKEA**
  www.ikea.es Botes y botellas de cristal con cierre de palanca. Medidores de mililitros y gramos.

Datos de contacto

Para cualquier pregunta contacta conmigo en ana@anamoreno.com.

¡Gracias!

Índice de recetas

Índice